교과서 GO! 사고력 GO!

Go! 매쓰

Run-A

교과서 사고력

수학 5-2

구성과 특징

1주차 교과 집중 학습

1 교과서 개념 완성

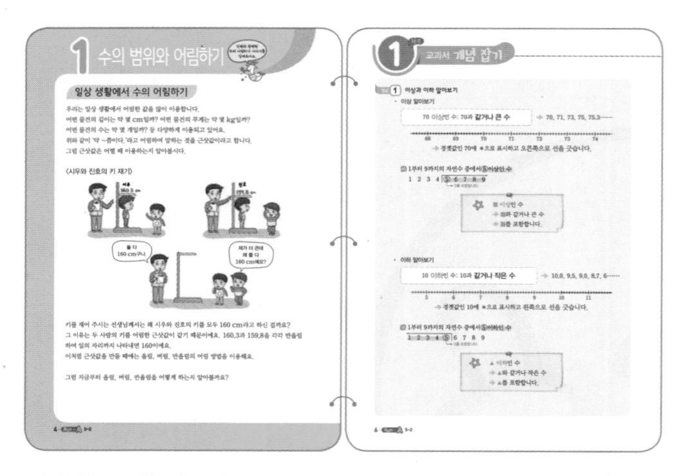

재미있는 수학 이야기로 단원에 대한 흥미를 높이고, 교과서 개념과 기본 문제를 학습합니다.

2 교과서 개념 PLAY

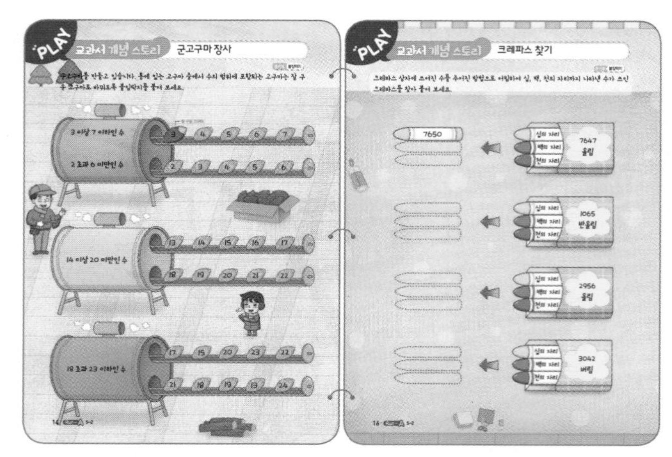

게임으로 개념을 학습하면서 집중력을 높여 쉽게 개념을 익히고 기본을 탄탄하게 만듭니다.

3 문제 풀이로 실력 & 자신감 UP!

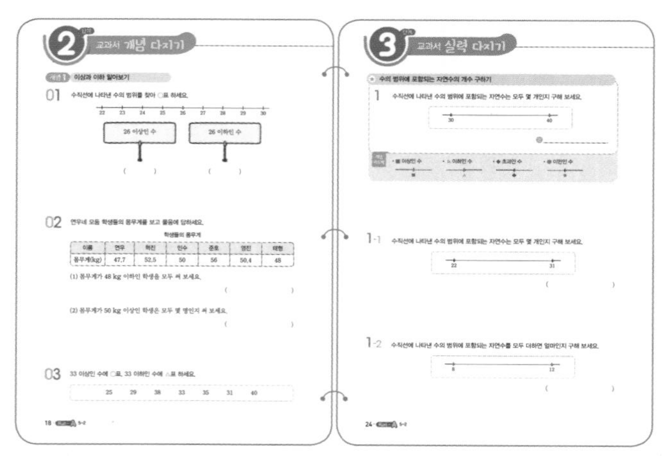

한 단계 더 나아간 교과서와 익힘 문제로 개념을 완성하고, 다양한 문제 유형으로 응용력을 키웁니다.

4 서술형 문제 풀이

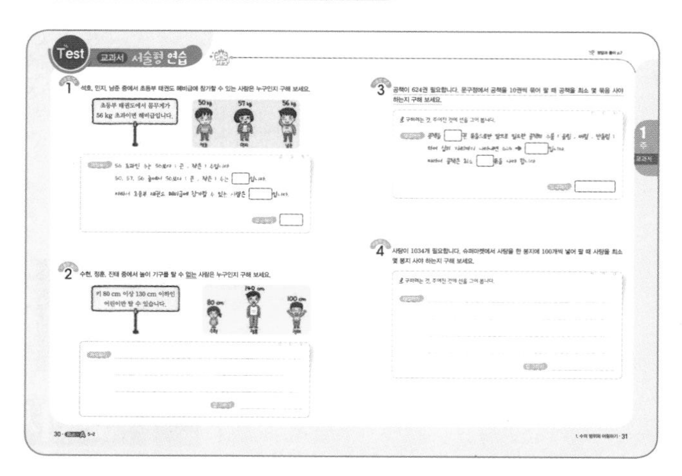

시험에 잘 나오는 서술형 문제 중심으로 단계별로 풀이하는 연습을 하여 서술하는 힘을 높여 줍니다.

교과 + 사고력

2주에 한 단원 완성!

2 주차 사고력 확장 학습

1 사고력 PLAY

교과 심화 문제와 사고력 문제를 게임으로 쉽게 접근하여 어려운 문제에 대한 거부감을 낮추고 집중력을 높입니다.

2 교과 사고력 잡기

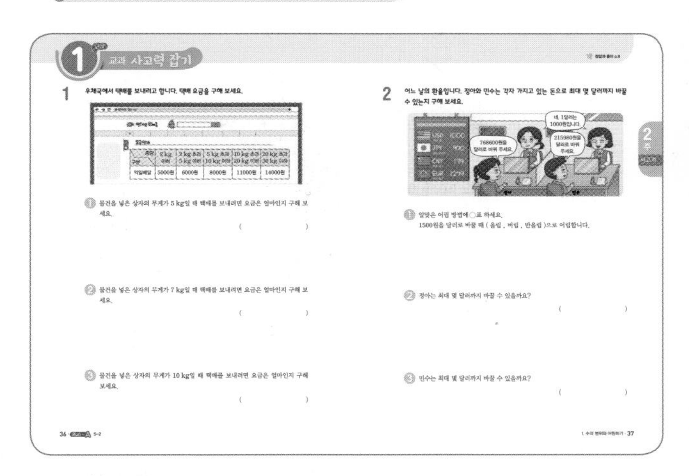

문제에 필요한 요소를 찾아 단계별로 해결하면서 문제 해결력을 키울 수 있는 힘을 기릅니다.

3 교과 사고력 확장 + 완성

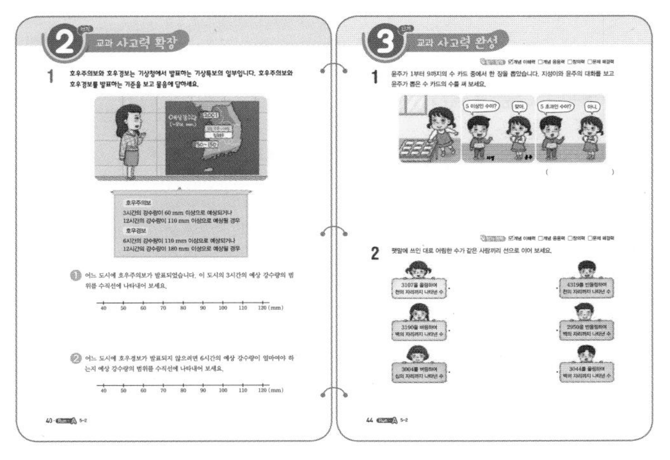

틀에서 벗어난 생각을 하여 문제를 해결하는 창의적 사고력을 기를 수 있는 힘을 기릅니다.

4 종합평가 / 특강

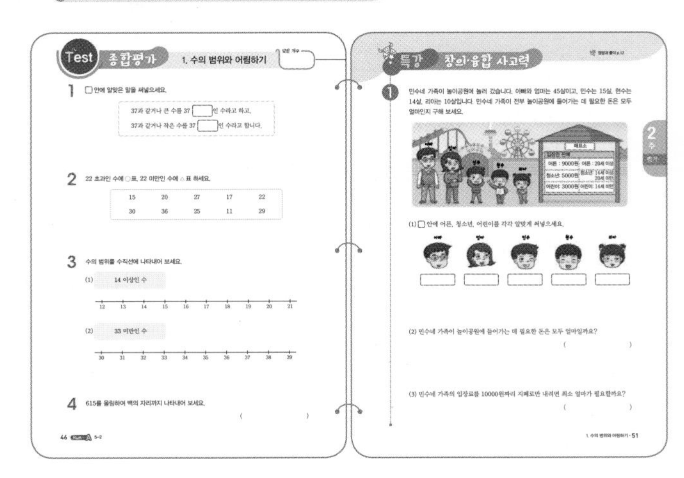

교과 학습과 사고력 학습을 얼마나 잘 이해하였는지 평가하여 배운 내용을 정리합니다.

1 수의 범위와 어림하기

단원과 관련된
수의 어림하기 이야기를
살펴보아요.

일상 생활에서 수의 어림하기

우리는 일상 생활에서 어림한 값을 많이 이용합니다.
어떤 물건의 길이는 약 몇 cm일까? 어떤 물건의 무게는 약 몇 kg일까?
어떤 물건의 수는 약 몇 개일까? 등 다양하게 이용되고 있어요.
위와 같이 '약 ~쯤이다.'라고 어림하여 말하는 것을 근삿값이라고 합니다.
그럼 근삿값은 어떨 때 이용하는지 알아봅시다.

〈시우와 진호의 키 재기〉

160.3 cm
시우
159.8 cm
진호
둘 다
160 cm구나.
제가 더 큰데
왜 둘 다
160 cm예요?

키를 재어 주시는 선생님께서는 왜 시우와 진호의 키를 모두 160 cm라고 하신 걸까요?
그 이유는 두 사람의 키를 어림한 근삿값이 같기 때문이에요. 160.3과 159.8을 각각 반올림하여 일의 자리까지 나타내면 160이에요.
이처럼 근삿값을 만들 때에는 올림, 버림, 반올림의 어림 방법을 이용해요.

그럼 지금부터 올림, 버림, 반올림을 어떻게 하는지 알아볼까요?

 알맞은 말에 ○표 하세요.

3.8 kg

4.1 kg

강아지와 고양이 몸무게는 모두 약 (3 , 4) kg이라고 어림할 수 있습니다.

 물건을 사기 위해서 천 원짜리 지폐가 최소 몇 장 있어야 하는지 알맞은 것을 찾아 선으로 이어 보세요.

370원 •

1400원 •

3600원 •

• 천 원짜리 지폐 2장

• 천 원짜리 지폐 1장

• 천 원짜리 지폐 4장

 연필의 길이를 어림해 보세요.

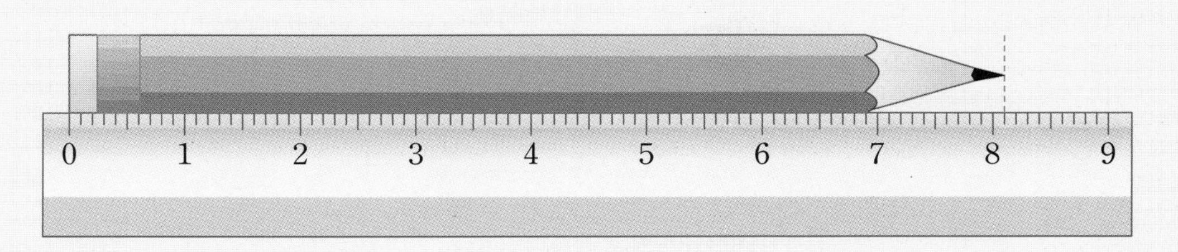

➜ 연필의 길이는 약 (8 , 9) cm입니다.

1단계 교과서 개념 잡기

개념 1 이상과 이하 알아보기

• 이상 알아보기

70 **이상**인 수: 70과 **같거나 큰 수** ➔ 70, 71, 73, 75, 75.3……

68 69 70 71 72 73 74

➔ 경곗값인 70에 ●으로 표시하고 오른쪽으로 선을 긋습니다.

예 1부터 9까지의 자연수 중에서 ⑤ 이상인 수

1 2 3 4 ⑤ 6 7 8 9

5를 포함합니다.

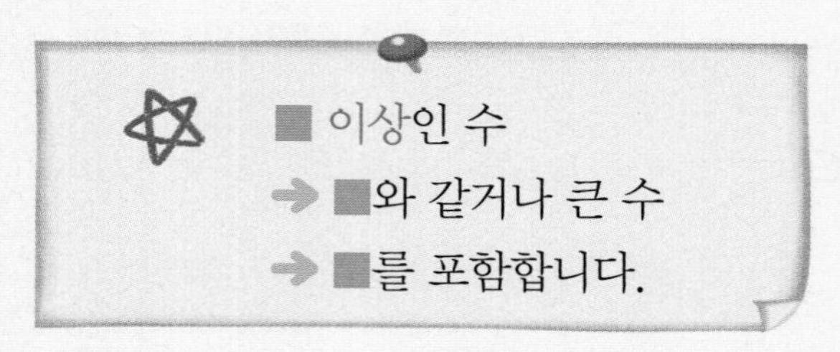

■ 이상인 수
➔ ■와 같거나 큰 수
➔ ■를 포함합니다.

• 이하 알아보기

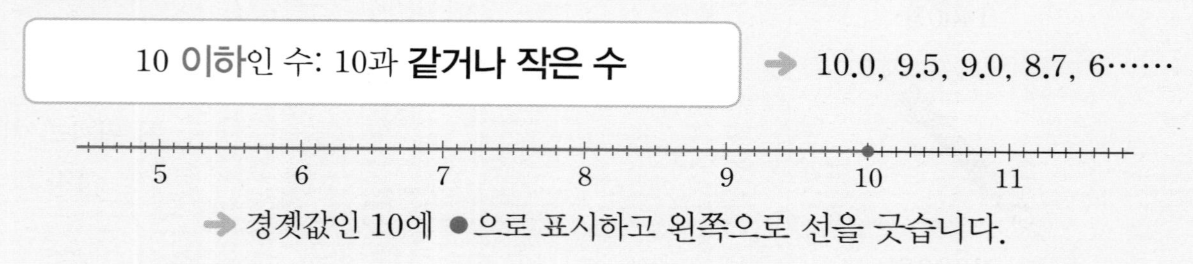

10 **이하**인 수: 10과 **같거나 작은 수** ➔ 10.0, 9.5, 9.0, 8.7, 6……

5 6 7 8 9 10 11

➔ 경곗값인 10에 ●으로 표시하고 왼쪽으로 선을 긋습니다.

예 1부터 9까지의 자연수 중에서 ⑤ 이하인 수

1 2 3 4 ⑤ 6 7 8 9

5를 포함합니다.

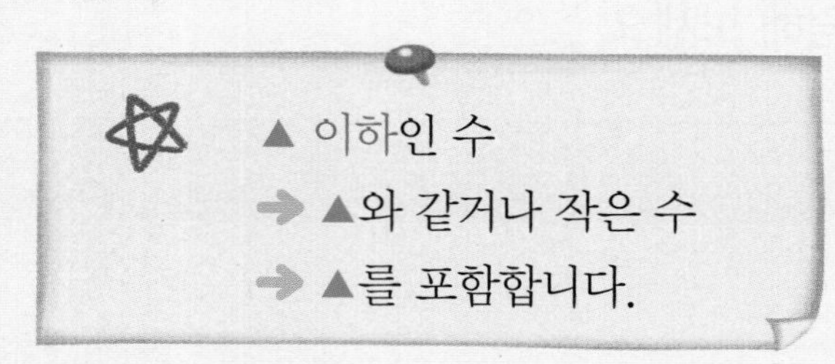

▲ 이하인 수
➔ ▲와 같거나 작은 수
➔ ▲를 포함합니다.

개념 확인 문제

1-1 □ 안에 알맞은 말을 써넣으세요.

25, 26, 27 등과 같이 25와 같거나 큰 수를 25 □인 수라고 합니다.

1-2 62 이하인 수에 모두 △표 하세요.

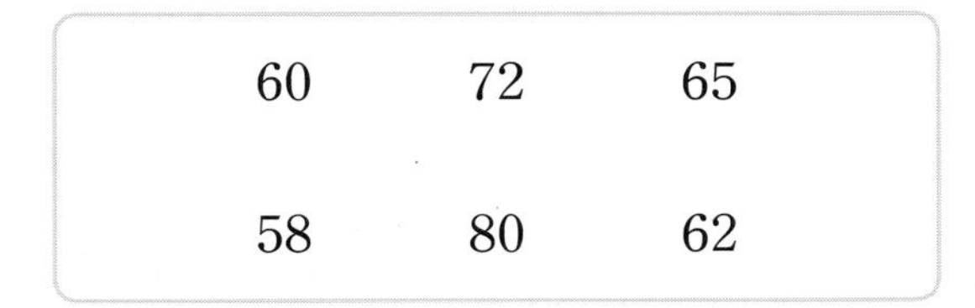

60	72	65
58	80	62

1-3 수의 범위를 수직선에 나타내어 보세요.

(1) 38 이상인 수

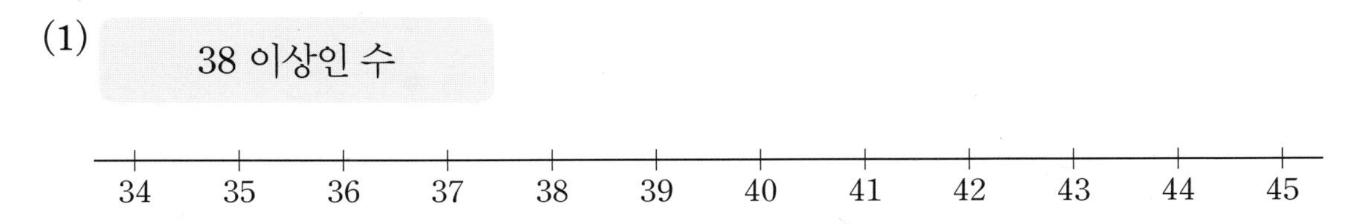

(2) 50 이하인 수

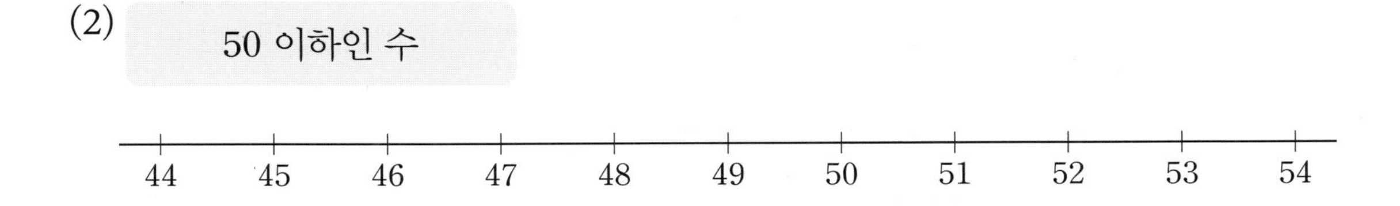

1-4 수직선에 나타낸 수의 범위에 맞게 □ 안에 알맞은 말을 써넣으세요.

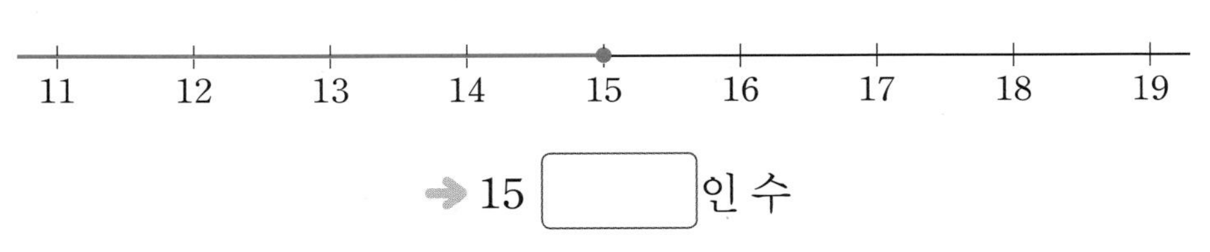

➜ 15 □인 수

개념 2 초과와 미만 알아보기

• 초과 알아보기

19 **초과**인 수: 19보다 **큰 수** ➔ 19.4, 20.9, 22.0, 23……

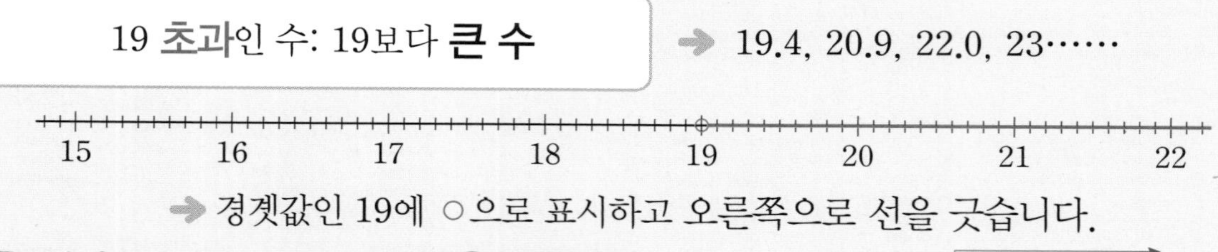

예 1부터 9까지의 자연수 중에서 ⑤ 초과인 수   1 2 3 4 ⑤ 6 7 8 9

5를 포함하지 않습니다.

• 미만 알아보기

140 **미만**인 수: 140보다 **작은 수** ➔ 139.5, 137.0, 135.8, 135……

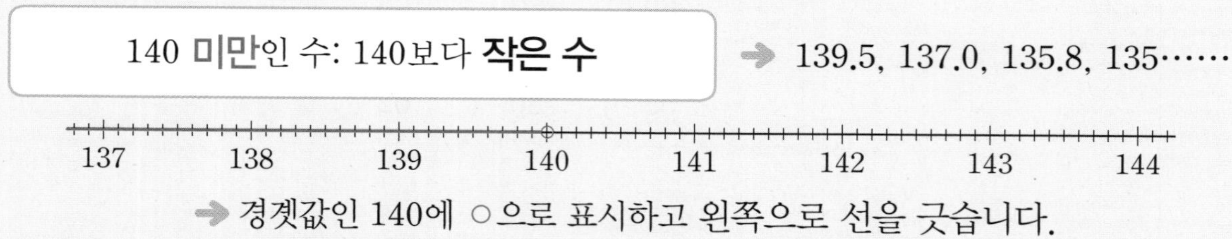

예 1부터 9까지의 자연수 중에서 ⑤ 미만인 수   1 2 3 4 ⑤ 6 7 8 9

5를 포함하지 않습니다.

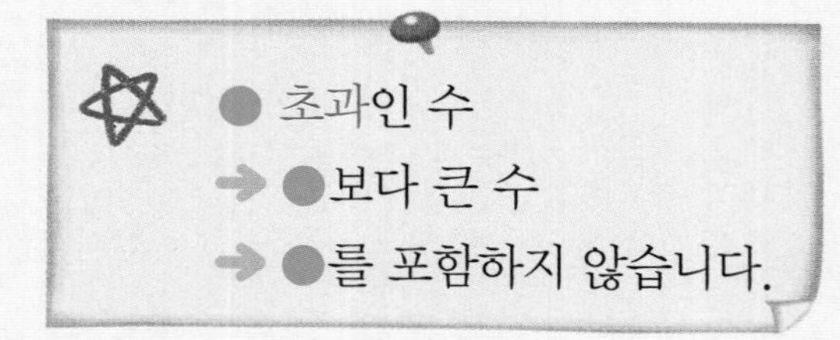

● 초과인 수
➔ ●보다 큰 수
➔ ●를 포함하지 않습니다.

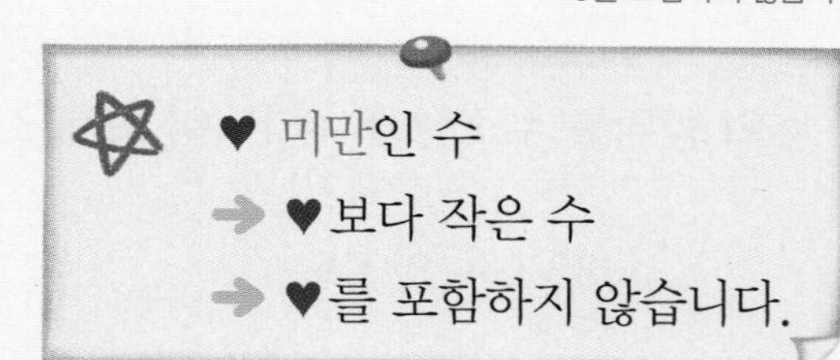

개념 3 수의 범위를 활용하여 문제 해결하기

5 이상 8 이하인 수	5 이상 8 미만인 수
(포함) 3 4 5 6 7 8 9 10 5와 8에 ●으로 표시하고 5와 8 사이에 선을 긋습니다.	(포함, 포함×) 3 4 5 6 7 8 9 10 5에 ●, 8에 ○으로 표시하고 5와 8 사이에 선을 긋습니다.
5 초과 8 이하인 수	**5 초과 8 미만인 수**
(포함×, 포함) 3 4 5 6 7 8 9 10 5에 ○, 8에 ●으로 표시하고 5와 8 사이에 선을 긋습니다.	(포함×) 3 4 5 6 7 8 9 10 5와 8에 ○으로 표시하고 5와 8 사이에 선을 긋습니다.

2-1

☐ 안에 알맞은 말을 써넣으세요.

15	16.5	8	19.2

→ 20보다 작은 수를 20 ☐인 수라고 합니다.

2-2

40 초과인 수에 모두 ○표 하세요.

36	40	39	42
39	25	43	50

2-3

관계있는 것끼리 선으로 이어 보세요.

12보다 큰 수 •	• 12 이하인 수
12와 같거나 작은 수 •	• 12 초과인 수
12보다 작은 수 •	• 12 이상인 수
12와 같거나 큰 수 •	• 12 미만인 수

3-1

수직선에 나타낸 수의 범위에 맞게 ☐ 안에 알맞은 말을 써넣으세요.

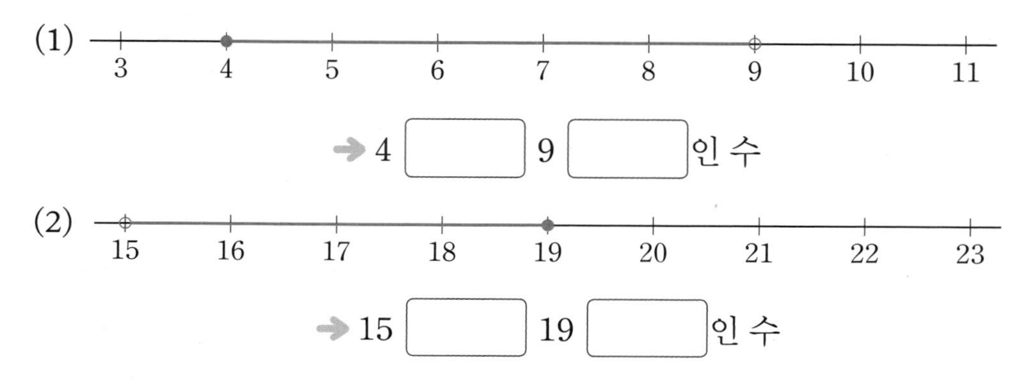

(1) → 4 ☐ 9 ☐인 수

(2) → 15 ☐ 19 ☐인 수

1단계 교과서 개념 잡기

개념 4 올림 알아보기

• 올림: 구하려는 자리의 아래 수를 올려서 나타내는 방법

① 148을 올림하여 주어진 자리까지 나타내기

올림하여 십의 자리까지 나타내기	올림하여 백의 자리까지 나타내기
148 ➔ 150 (8 → 10) 십의 자리의 아래 수인 8을 10으로 봅니다.	148 ➔ 200 (48 → 100) 백의 자리의 아래 수인 48을 100으로 봅니다.

② 2.371을 올림하여 주어진 자리까지 나타내기

올림하여 소수 둘째 자리까지 나타내기	올림하여 소수 첫째 자리까지 나타내기
2.371 ➔ 2.38 (→ 0.01) 소수 둘째 자리의 아래 수인 0.001을 0.01로 봅니다.	2.371 ➔ 2.4 (→ 0.1) 소수 첫째 자리의 아래 수인 0.071을 0.1로 봅니다.

개념 5 버림 알아보기

• 버림: 구하려는 자리의 아래 수를 버려서 나타내는 방법

① 549를 버림하여 주어진 자리까지 나타내기

버림하여 십의 자리까지 나타내기	버림하여 백의 자리까지 나타내기
549 ➔ 540 (→ 0) 십의 자리의 아래 수인 9를 0으로 봅니다.	549 ➔ 500 (→ 0) 백의 자리의 아래 수인 49를 0으로 봅니다.

② 3.126을 버림하여 주어진 자리까지 나타내기

버림하여 소수 둘째 자리까지 나타내기	버림하여 소수 첫째 자리까지 나타내기
3.126 ➔ 3.12 (→ 0) 소수 둘째 자리의 아래 수인 0.006을 0으로 봅니다.	3.126 ➔ 3.1 (→ 0) 소수 첫째 자리의 아래 수인 0.026을 0으로 봅니다.

4-1 182를 올림하여 십의 자리까지 나타내어 보세요.

(　　　　　　　)

4-2 5.106을 올림하여 소수 첫째 자리까지 나타내어 보세요.

(　　　　　　　)

4-3 올림하여 주어진 자리까지 나타내어 보세요.

수	십의 자리	백의 자리
547		
1089		

5-1 버림하여 십의 자리까지 나타내어 보세요.

(1) 7106 ➔ (　　　　　　　)　(2) 5518 ➔ (　　　　　　　)

5-2 버림하여 주어진 자리까지 나타내어 보세요.

수	소수 첫째 자리	소수 둘째 자리
0.123		
6.726		

개념 6 반올림 알아보기

- **반올림**: 구하려는 자리 바로 아래 자리의 숫자가 0, 1, 2, 3, 4이면 버리고, 5, 6, 7, 8, 9이면 올려서 나타내는 방법

① 2637을 반올림하여 주어진 자리까지 나타내기

반올림하여 십의 자리까지 나타내기	반올림하여 백의 자리까지 나타내기	반올림하여 천의 자리까지 나타내기
2637 → 2640 (올림) 일의 자리의 숫자가 7이므로 올림합니다.	2637 → 2600 (버림) 십의 자리의 숫자가 3이므로 버림합니다.	2637 → 3000 (올림) 백의 자리의 숫자가 6이므로 올림합니다.

② 4.281을 반올림하여 주어진 자리까지 나타내기

반올림하여 소수 첫째 자리까지 나타내기	반올림하여 소수 둘째 자리까지 나타내기
4.281 → 4.3 (올림) 소수 둘째 자리의 숫자가 8이므로 올림합니다.	4.281 → 4.28 (버림) 소수 셋째 자리의 숫자가 1이므로 버림합니다.

개념 7 올림, 버림, 반올림 활용하기

- **올림**이 활용되는 경우

① 귤 237개를 한 봉지에 10개씩 모두 넣을 때 봉지가 최소 몇 봉지 필요한지 알아보기
237개를 올림하여 십의 자리까지 나타내면 240개 → 24봉지가 필요합니다.

② 끈 109 cm가 필요한데 1 m씩 판매할 경우 끈은 최소 몇 m 사야 하는지 알아보기
109 cm를 올림하여 백의 자리까지 나타내면 200 cm → 2 m를 사야 합니다.

- **버림**이 활용되는 경우

① 4750원을 천 원짜리 지폐로 바꿀 때 최대 얼마까지 바꿀 수 있는지 알아보기
4750원을 버림하여 천의 자리까지 나타내면 4000원 → 4000원까지 바꿀 수 있습니다.

② 공 833개를 한 상자에 10개씩 담아 팔 때 팔 수 있는 공은 최대 몇 상자인지 알아보기
833개를 버림하여 십의 자리까지 나타내면 830개 → 83상자까지 팔 수 있습니다.

- **반올림**이 활용되는 경우

① 인구, 관객 수, 길이, 무게 등을 어림하여 나타내기
20.9 cm를 약 몇 cm로 어림하여 나타낼 때 반올림하여 일의 자리까지 나타내면 21 cm 입니다.

6-1 419를 반올림하여 백의 자리까지 나타내어 보세요.

( )

6-2 2.087을 반올림하여 소수 둘째 자리까지 나타내어 보세요.

( )

6-3 반올림하여 주어진 자리까지 나타내어 보세요.

수	십의 자리	백의 자리
2463		
5529		

7-1 문제를 해결하려면 어떤 방법으로 어림해야 하는지 알맞은 어림 방법에 ○표 하세요.

(1) 길이가 11.6 cm인 연필을 1 cm 단위로 가까운 쪽의 눈금을 읽으면 몇 cm인지 알아보려고 할 때

(올림 , 버림 , 반올림)

(2) 사탕 372개를 10개씩 봉지에 담아 모두 포장한다면 필요한 봉지는 최소 몇 봉지인지 알아보려고 할 때

(올림 , 버림 , 반올림)

(3) 동전 43520원을 10000원짜리 지폐로 바꾼다면 최대 얼마까지 바꿀 수 있는지 알아보려고 할 때

(올림 , 버림 , 반올림)

PLAY

교과서 개념 스토리 군고구마 장사

준비물 붙임딱지

군고구마를 만들고 있습니다. 통에 있는 고구마 중에서 수의 범위에 포함되는 고구마는 잘 구운 고구마로 바뀌도록 붙임딱지를 붙여 보세요.

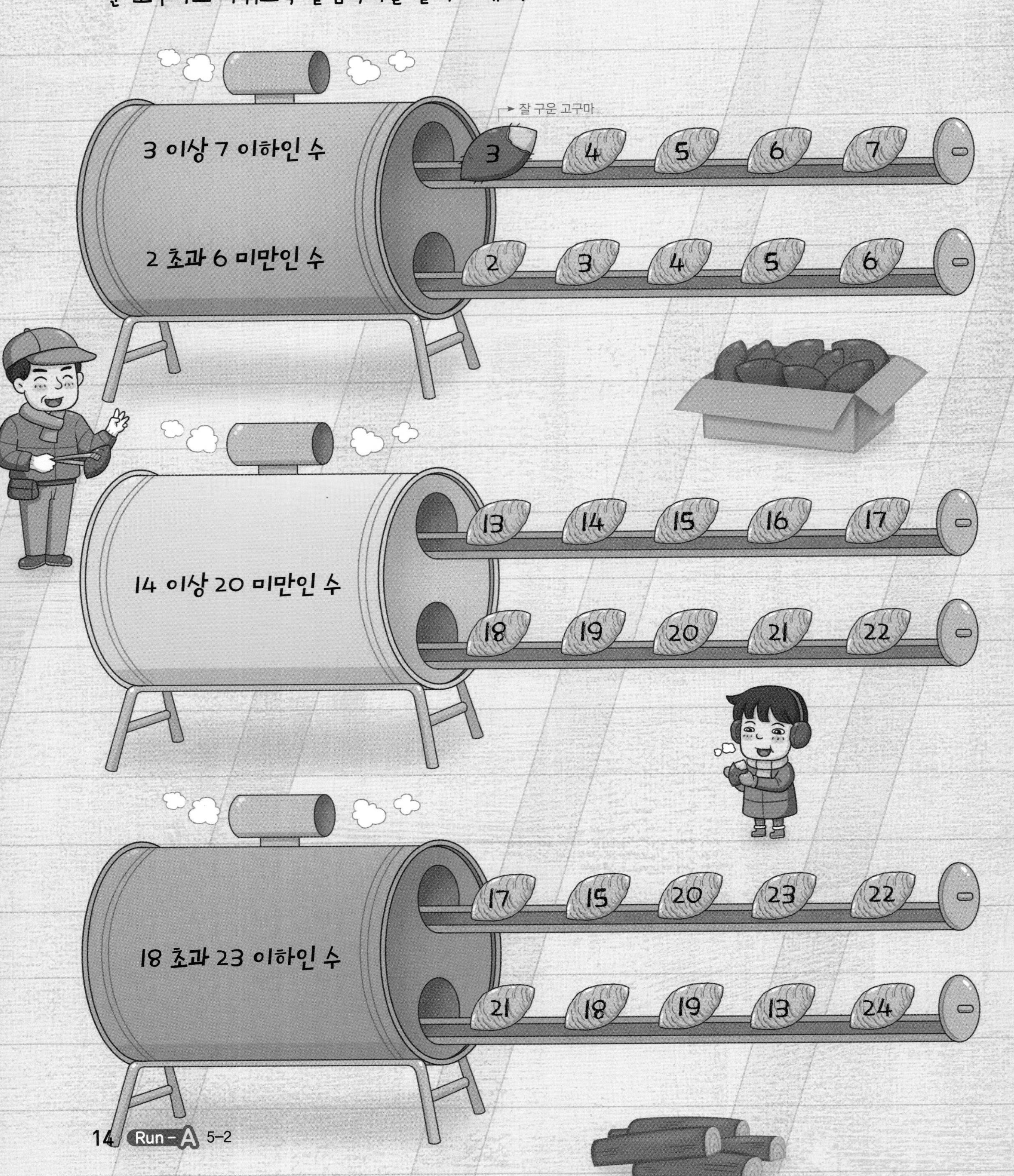

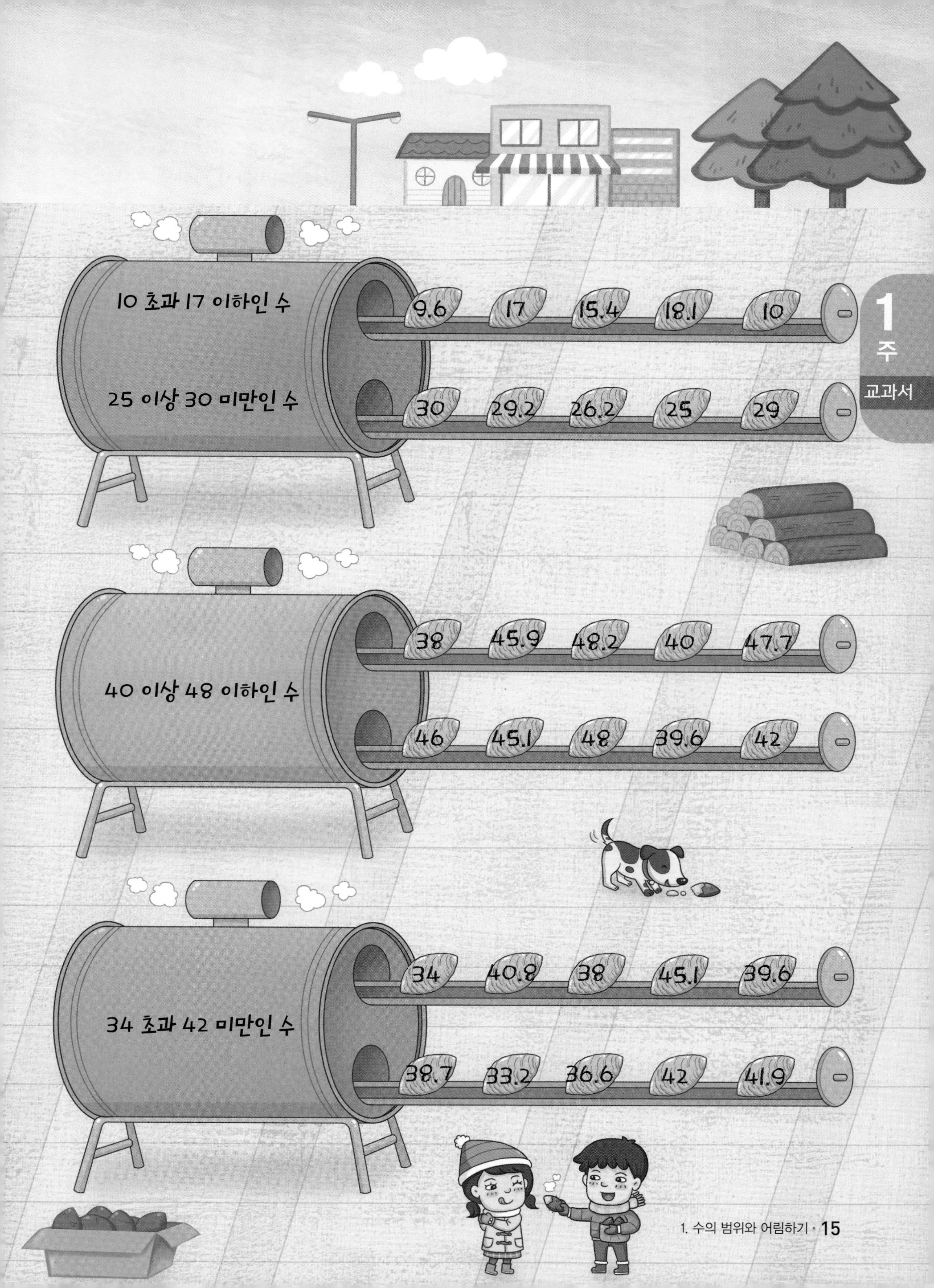
10 초과 17 이하인 수
9.6
17
15.4
18.1
10
25 이상 30 미만인 수
30
29.2
26.2
25
29
40 이상 48 이하인 수
38
45.9
48.2
40
47.7
46
45.1
48
39.6
42
34 초과 42 미만인 수
34
40.8
38
45.1
39.6
38.7
33.2
36.6
42
41.9
1 주
교과서

PLAY 교과서 개념 스토리

크레파스 찾기

준비물 붙임딱지

크레파스 상자에 쓰여진 수를 주어진 방법으로 어림하여 십, 백, 천의 자리까지 나타낸 수가 쓰인 크레파스를 찾아 붙여 보세요.

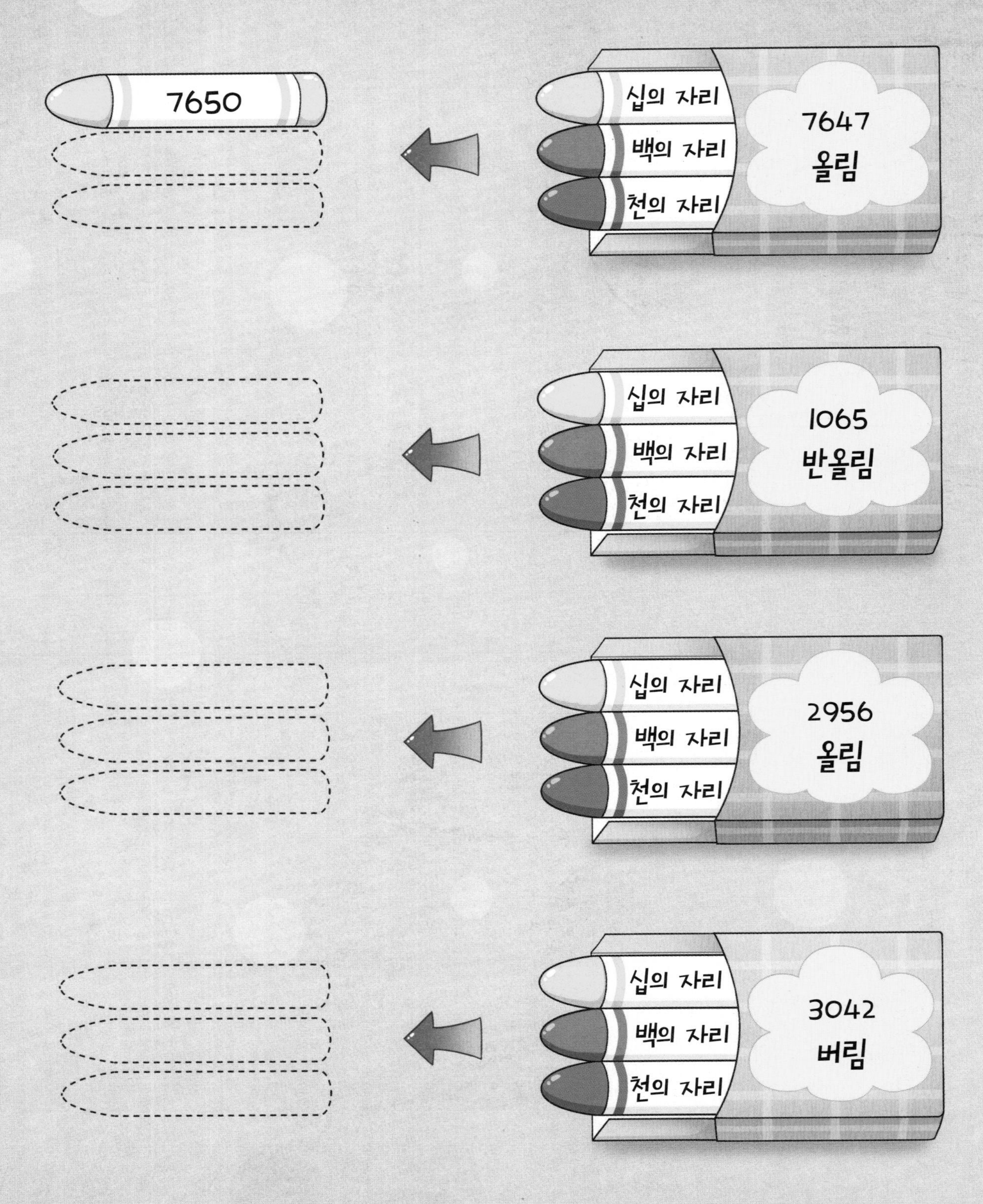

문구점

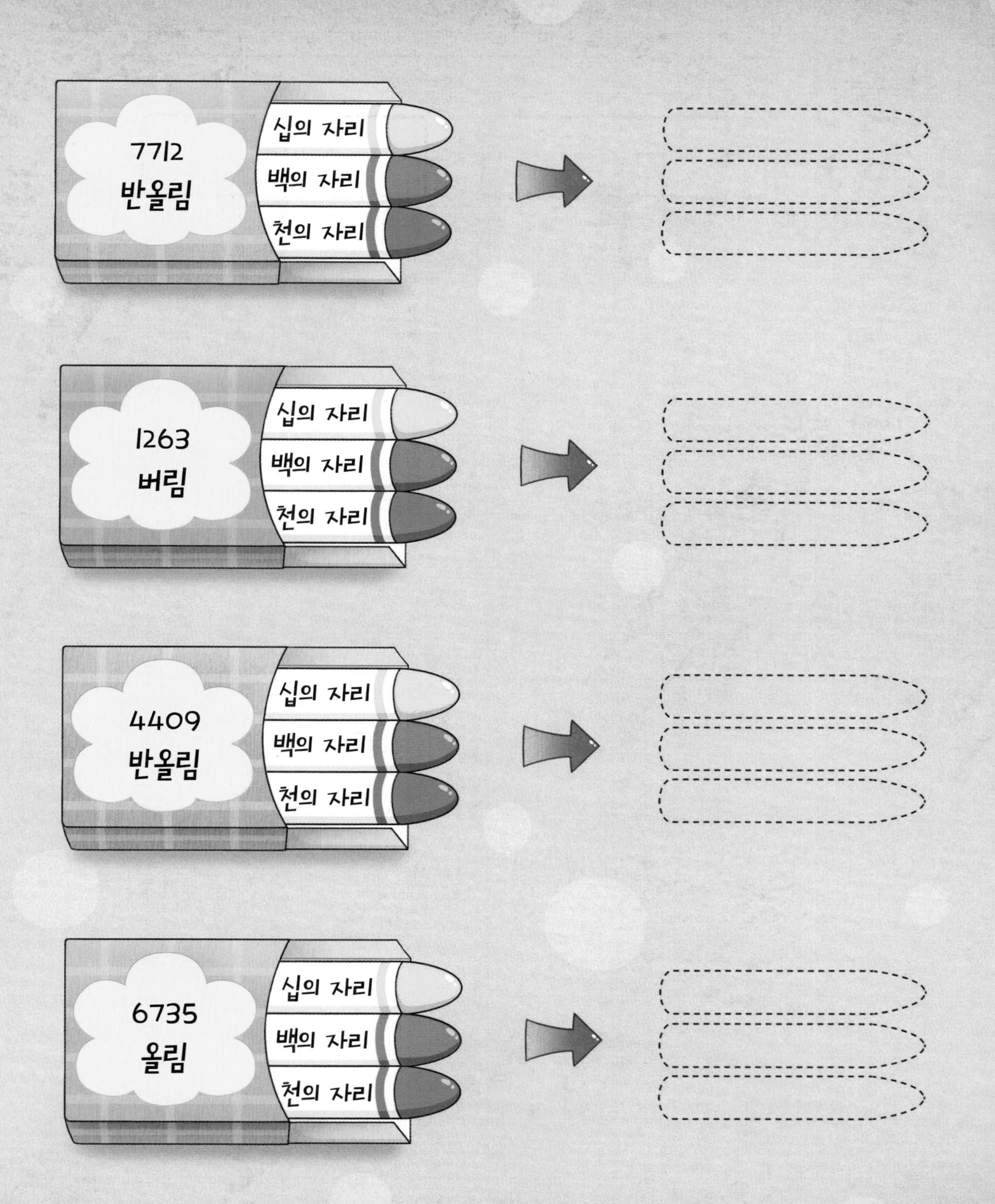
7712
반올림
십의 자리
백의 자리
천의 자리
1263
버림
십의 자리
백의 자리
천의 자리
4409
반올림
십의 자리
백의 자리
천의 자리
6735
올림
십의 자리
백의 자리
천의 자리

2단계 교과서 개념 다지기

개념 1 이상과 이하 알아보기

01 수직선에 나타낸 수의 범위를 찾아 ○표 하세요.

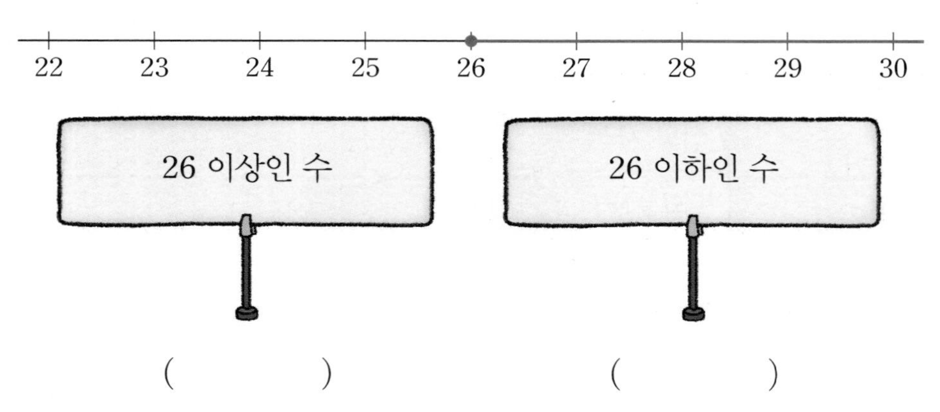

( ) ( )

02 연우네 모둠 학생들의 몸무게를 보고 물음에 답하세요.

학생들의 몸무게

이름	연우	혁진	민수	준호	영진	태형
몸무게(kg)	47.7	52.5	50	56	50.4	48

(1) 몸무게가 48 kg 이하인 학생을 모두 써 보세요.

( )

(2) 몸무게가 50 kg 이상인 학생은 모두 몇 명인지 써 보세요.

( )

03 33 이상인 수에 ○표, 33 이하인 수에 △표 하세요.

25 29 38 33 35 31 40

개념 2 초과와 미만 알아보기

04 수직선에 나타낸 수의 범위를 찾아 기호를 써 보세요.

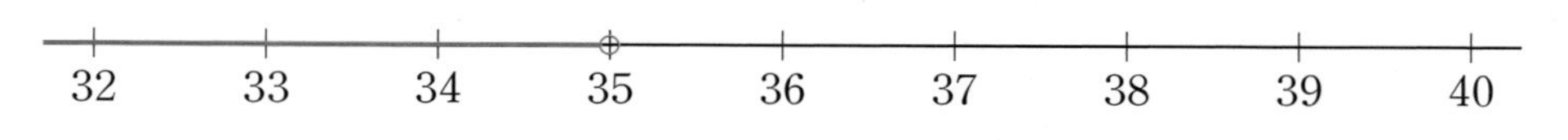

㉠ 35 이상인 수　　㉡ 35 초과인 수
㉢ 35 미만인 수　　㉣ 35 이하인 수

(　　　　　　)

05 15 초과인 수는 모두 몇 개인지 써 보세요.

13.7	15	24.2	18.9	16.3
20.1	19	5.5	17.4	20

(　　　　　　)

06 윤주네 반 학생들이 1분 동안 한 윗몸 말아 올리기 기록을 조사하여 나타낸 표입니다. 윗몸 말아 올리기 횟수가 38회 초과인 학생을 모두 써 보세요.

윗몸 말아 올리기 기록

이름	윤주	승기	수지	채민	민호	종서
횟수(회)	32	25	38	47	36	40

(　　　　　　)

1주 교과서

개념 3 수의 범위의 활용

07 수직선에 나타낸 수의 범위를 써 보세요.

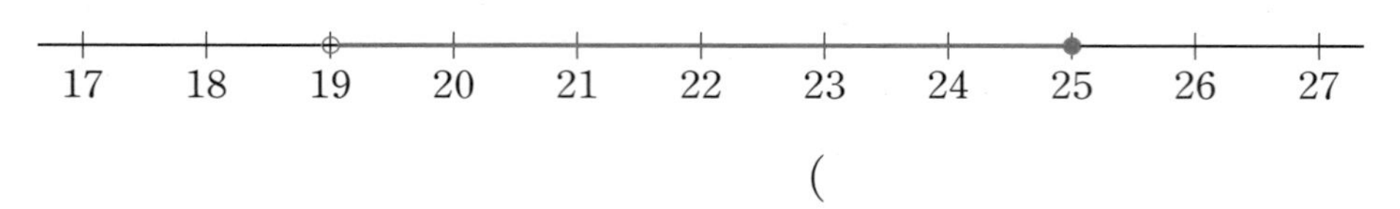

( )

08 수의 범위를 수직선에 나타내어 보세요.

(1) 11 이상 17 미만인 수

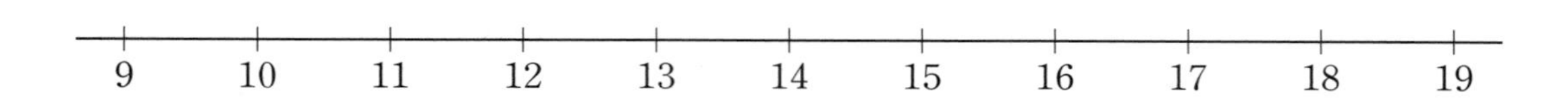

(2) 25 초과 30 이하인 수

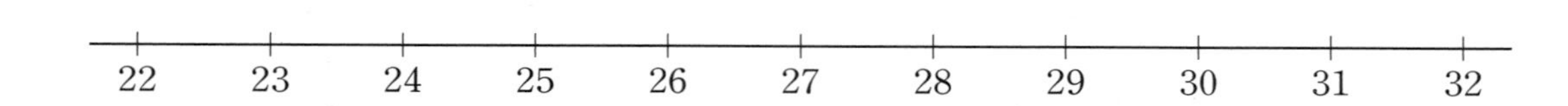

09 영호네 학교 남자 태권도 선수들의 몸무게를 나타낸 표입니다. 라이트 미들급은 몸무게가 49 kg 초과 53 kg 이하입니다. 표를 보고 라이트 미들급에 속하는 학생의 이름을 써 보세요.

남자 태권도 선수들의 몸무게

이름	영호	지웅	민철	용빈	지후	승기
몸무게(kg)	48	53.4	54.6	49.7	47.8	53.2

( )

개념 4 올림, 버림 알아보기

10 올림하여 주어진 자리까지 나타내어 보세요.

461 ➜

십의 자리	백의 자리

11 버림하여 주어진 자리까지 나타내어 보세요.

수	소수 첫째 자리	소수 둘째 자리
2.173		
6.862		

12 올림하여 십의 자리까지 나타낸 수가 나머지와 다른 것을 찾아 기호를 써 보세요.

( )

13 버림하여 백의 자리까지 나타낸 수가 500이 아닌 수에 ×표 하세요.

542 479 500 589 516

개념 5 반올림 알아보기

14 보기 와 같이 소수를 반올림하려고 합니다. □ 안에 알맞은 수를 써넣으세요.

> 보기
>
> 2.316을 반올림하여 소수 둘째 자리까지 나타내면 2.32입니다.

(1) 142.34를 반올림하여 소수 첫째 자리까지 나타내면 □입니다.

(2) 9.028을 반올림하여 소수 둘째 자리까지 나타내면 □입니다.

15 연필의 길이는 몇 cm인지 반올림하여 일의 자리까지 나타내어 보세요.

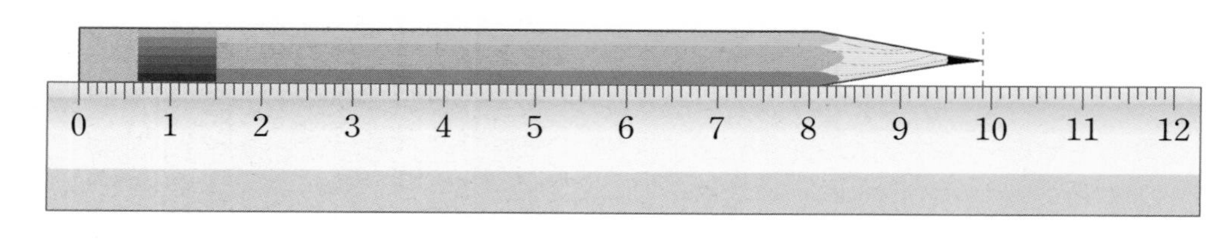

(　　　　　　　　)

16 3일 동안 영화관에 입장한 관람객의 수입니다. 입장한 관람객의 수를 반올림하여 천의 자리까지 나타내어 보세요.

금요일	토요일	일요일
21569명	34723명	30418명

개념 6 올림, 버림, 반올림 활용하기

17 택배 상자 863개를 트럭에 모두 실으려고 합니다. 트럭 한 대에 100상자씩 실을 수 있을 때 트럭은 최소 몇 대가 필요할까요?

( )

18 공장에서 장난감을 1329개 만들었습니다. 한 상자에 10개씩 담아서 판다면 팔 수 있는 장난감은 최대 몇 상자일까요?

( )

19 윤서의 키를 재었더니 161.7 cm입니다. 1 cm 단위로 가까운 쪽의 눈금을 읽으면 몇 cm일까요?

( )

20 어림하는 방법이 다른 한 친구를 찾아 이름을 써 보세요.

카페에서 음료를 10번 살 때마다 1잔을 공짜로 받을 수 있대. 나는 29번 샀으니까 2잔을 받을 수 있어.

강호

공책 32권을 10권씩 묶어서 팔면 모두 30권을 팔 수 있겠네.

예지

40.3 kg인 내 몸무게를 1 kg 단위로 가까운 쪽의 눈금을 읽으면 40 kg이야.

현서

( )

3단계 교과서 실력 다지기

★ 수의 범위에 포함되는 자연수의 개수 구하기

1 수직선에 나타낸 수의 범위에 포함되는 자연수는 모두 몇 개인지 구해 보세요.

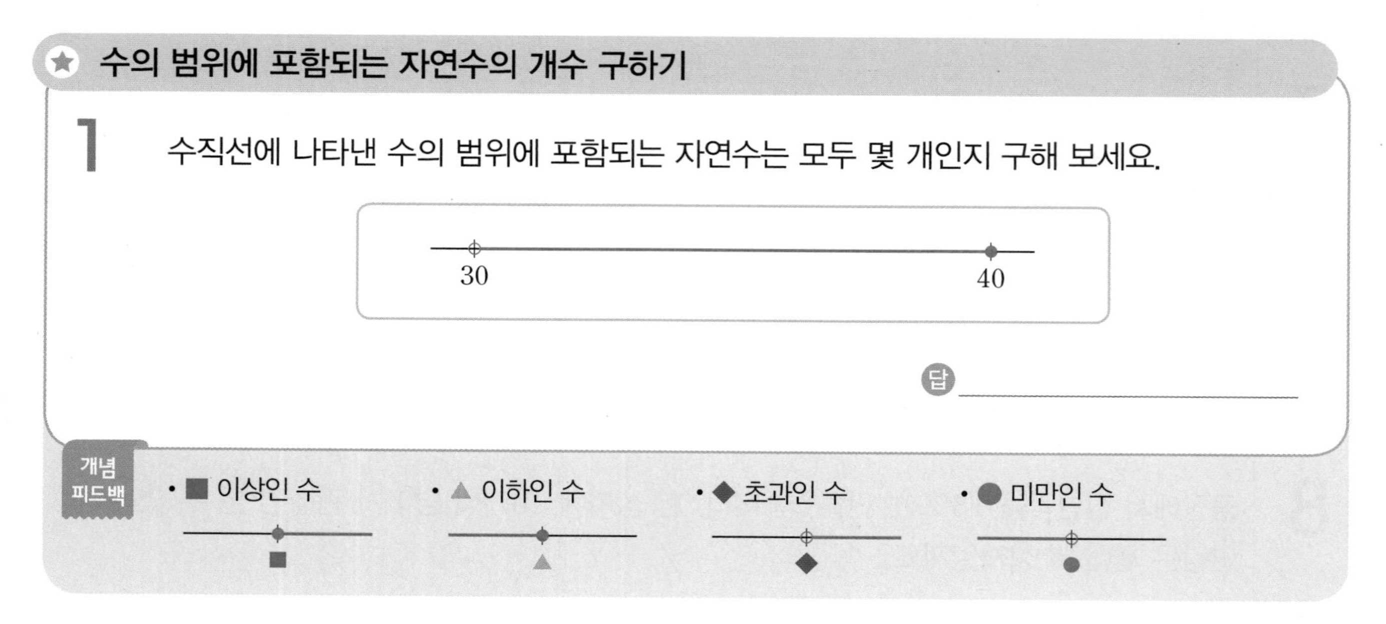

1-1 수직선에 나타낸 수의 범위에 포함되는 자연수는 모두 몇 개인지 구해 보세요.

(　　　　　　　　　　)

1-2 수직선에 나타낸 수의 범위에 포함되는 자연수를 모두 더하면 얼마인지 구해 보세요.

(　　　　　　　　　　)

정답과 풀이 p.6

어림한 수의 크기 비교하기

2 어림한 수의 크기를 비교하여 ◯ 안에 >, =, <를 알맞게 써넣으세요.

257을 올림하여 십의 자리까지 나타낸 수	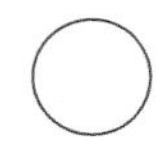	294를 버림하여 백의 자리까지 나타낸 수

개념 피드백
- 올림: 구하려는 자리의 아래 수를 올려서 나타내는 방법
- 버림: 구하려는 자리의 아래 수를 버려서 나타내는 방법
- 반올림: 구하려는 자리 바로 아래 자리의 숫자가 0, 1, 2, 3, 4이면 버리고, 5, 6, 7, 8, 9이면 올려서 나타내는 방법

1주 교과서

2-1 어림한 수의 크기를 비교하여 ◯ 안에 >, =, <를 알맞게 써넣으세요.

513을 버림하여 십의 자리까지 나타낸 수	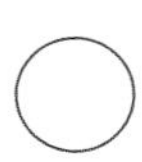	510을 올림하여 십의 자리까지 나타낸 수

2-2 어림한 수의 크기를 비교하여 ◯ 안에 >, =, <를 알맞게 써넣으세요.

4419를 올림하여 천의 자리까지 나타낸 수	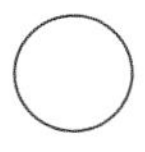	4592를 반올림하여 백의 자리까지 나타낸 수

조건을 만족하는 소수 구하기

3 은주가 말하는 수 중에서 8.35 이하인 수를 모두 구해 보세요.

자연수 부분이 8,
소수 둘째 자리 숫자가 5인
소수 두 자리 수야.

 ______________________

개념 피드백 이상, 이하는 경계값을 포함하고, 초과, 미만은 경계값을 포함하지 않습니다.

3-1 현서가 말하는 수 중에서 6.77 초과인 수를 모두 구해 보세요.

자연수 부분이 6,
소수 첫째 자리 숫자가 7인
소수 두 자리 수야.

( )

3-2 자연수 부분이 9인 소수 한 자리 수 중에서 9.2 이상인 수는 모두 몇 개인지 구해 보세요.

( )

3-3 자연수 부분이 5인 소수 한 자리 수 중에서 5.7 미만인 수는 모두 몇 개인지 구해 보세요.
(단, 소수 첫째 자리 숫자가 0인 경우는 생각하지 않습니다.)

( )

수 카드로 범위에 포함되는 수 만들기

4 수 카드 3장을 한 번씩만 사용하여 21 초과인 두 자리 수를 모두 만들어 보세요.

 ______________________

개념 피드백
- 범위에 포함되는 수 만들기

① 이상, 이하, 초과, 미만의 뜻을 알고 범위를 알아봅니다.
② 범위에 알맞게 수 카드로 수를 만듭니다.

4-1 수 카드 3장을 한 번씩만 사용하여 70 이하인 두 자리 수를 모두 만들어 보세요.

( )

4-2 수 카드 3장을 한 번씩만 사용하여 만들 수 있는 수 중에서 486 이상인 수는 모두 몇 개인지 구해 보세요.

( )

올림 활용하기

5 오렌지 762상자를 트럭에 모두 실으려고 합니다. 트럭 한 대에 100상자씩 실을 수 있다면 트럭은 최소 몇 대가 필요한지 구해 보세요.

답 ______________

개념 피드백

• 올림을 활용해야 하는 경우

① 학생들에게 낱개로 나누어 줄 때 필요한 사탕의 묶음 수

② 모든 사람을 태울 수 있는 버스의 수

③ 물건을 모두 담는 데 필요한 상자의 수

5-1 학생 316명이 모두 보트를 타려고 합니다. 보트 한 척에 10명까지 탈 수 있다면 보트는 최소 몇 척이 있어야 하는지 구해 보세요.

남는 학생이 없이 모두 보트에 타야 해요.

( )

5-2 영지는 23700원짜리 게임 CD를 사려고 합니다. 물음에 답하세요.

(1) 1000원짜리 지폐로만 게임 CD를 사려면 최소 얼마를 내야 할까요?

( )

(2) 10000원짜리 지폐로만 게임 CD를 사려면 최소 얼마를 내야 할까요?

( )

버림 활용하기

6 동전을 모은 저금통을 열어 보니 100원짜리 동전이 48개 있습니다. 이 돈을 1000원짜리 지폐로 바꾼다면 최대 얼마까지 바꿀 수 있을까요?

답 ______________

개념 피드백

• 버림을 활용해야 하는 경우

① 팔 수 있는 상자의 수

② 지폐로 바꿀 수 있는 동전의 수

③ 상자에 담을 수 있는 물건의 수

6-1 귤 3264개를 한 상자에 100개씩 담아서 팔려고 합니다. 귤은 최대 몇 상자까지 팔 수 있을까요?

( )

100개가 든 상자만 팔 수 있어요.

6-2 사탕 429개를 봉지에 담아서 팔려고 합니다. 물음에 답하세요.

(1) 한 봉지에 10개씩 담아서 판다면 팔 수 있는 사탕은 최대 몇 봉지일까요?

( )

(2) 한 봉지에 100개씩 담아서 판다면 팔 수 있는 사탕은 최대 몇 봉지일까요?

( )

교과서 서술형 연습

1 석호, 민지, 남준 중에서 초등부 태권도 헤비급에 참가할 수 있는 사람은 누구인지 구해 보세요.

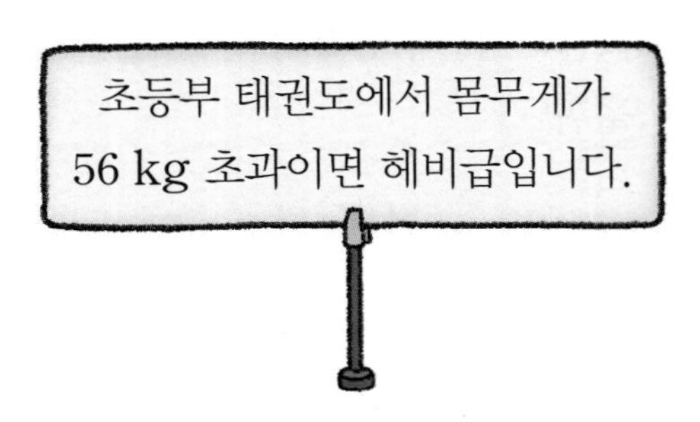

초등부 태권도에서 몸무게가
56 kg 초과이면 헤비급입니다.

해결하기 56 초과인 수는 56보다 (큰 , 작은) 수입니다.

50, 57, 56 중에서 56보다 (큰 , 작은) 수는 [ ] 입니다.

따라서 초등부 태권도 헤비급에 참가할 수 있는 사람은 [ ] 입니다.

답 구하기 [ ]

서술형 실전 2 수현, 정훈, 진태 중에서 놀이 기구를 탈 수 <u>없는</u> 사람은 누구인지 구해 보세요.

키 80 cm 이상 130 cm 이하인
어린이만 탈 수 있습니다.

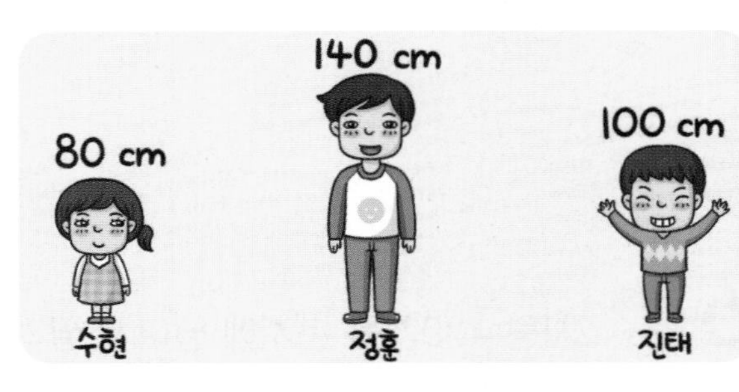

해결하기

답 구하기

공책이 624권 필요합니다. 문구점에서 공책을 10권씩 묶어 팔 때 공책을 최소 몇 묶음 사야 하는지 구해 보세요.

구하려는 것, 주어진 것에 선을 그어 봅니다.

해결하기 공책을 ☐권 묶음으로만 팔므로 필요한 공책의 수를 (올림 , 버림 , 반올림) 하여 십의 자리까지 나타내면 624 ➔ ☐입니다.
따라서 공책은 최소 ☐묶음 사야 합니다.

답 구하기 ☐

사탕이 1034개 필요합니다. 슈퍼마켓에서 사탕을 한 봉지에 100개씩 넣어 팔 때 사탕을 최소 몇 봉지 사야 하는지 구해 보세요.

구하려는 것, 주어진 것에 선을 그어 봅니다.

해결하기

답 구하기

PLAY 사고력 개념 스토리

그물 낚시

준비물 붙임딱지

배에 쓰인 수의 범위에 포함되는 수가 쓰인 물고기를 모두 찾아 그물 안에 붙인 다음 그중에서 어부가 말하는 물고기에 모두 ◯표 하세요.

10 초과인 자연수가 쓰인 물고기를 찾아줘요.
7 이상 14 미만인 자연수
7
15 미만인 자연수가 쓰인 물고기를 찾아줘요.
10 초과 19 이하인 자연수

36 이하인 자연수가
쓰인 물고기를
찾아줘요.
32 이상 40 이하인 자연수
45 이상인 자연수가
쓰인 물고기를
찾아줘요.
35 초과 48 미만인 자연수
2
주
사고력

PLAY 사고력 개념 스토리

과일·채소 가게

준비물 붙임딱지

과일이나 채소를 사려고 합니다. 세 사람이 내야 하는 돈은 최소 얼마인지 붙임딱지를 붙여 보세요.

과일이나 채소를 상자에 담아서 팔려고 합니다. 팔 수 있는 상자는 최대 몇 상자인지 붙임딱지를 붙여 보세요.

1단계 교과 사고력 잡기

1 **우체국에서 택배를 보내려고 합니다. 택배 요금을 구해 보세요.**

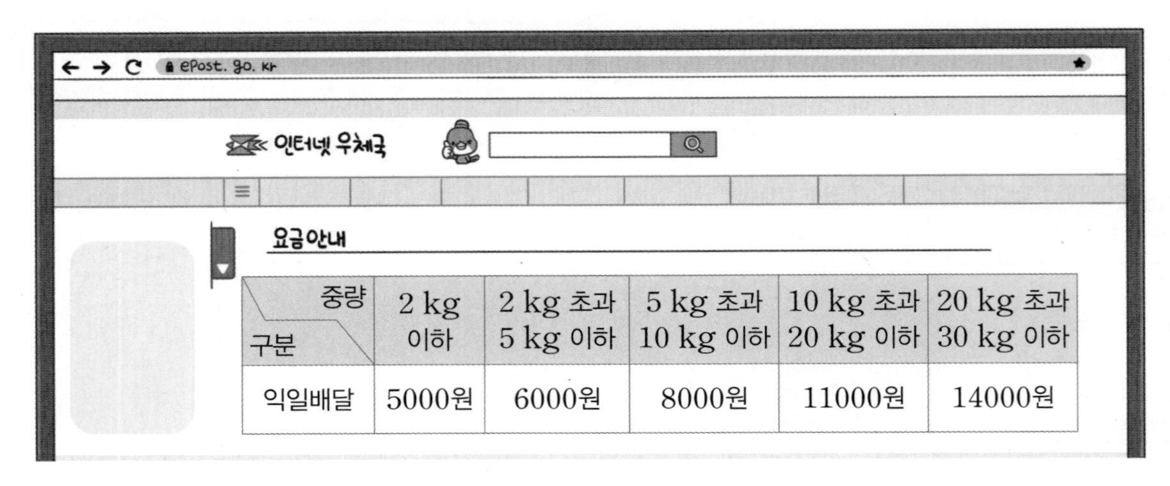

구분 \ 중량	2 kg 이하	2 kg 초과 5 kg 이하	5 kg 초과 10 kg 이하	10 kg 초과 20 kg 이하	20 kg 초과 30 kg 이하
익일배달	5000원	6000원	8000원	11000원	14000원

① 물건을 넣은 상자의 무게가 5 kg일 때 택배를 보내려면 요금은 얼마인지 구해 보세요.

(　　　　　　　　　)

② 물건을 넣은 상자의 무게가 7 kg일 때 택배를 보내려면 요금은 얼마인지 구해 보세요.

(　　　　　　　　　)

③ 물건을 넣은 상자의 무게가 10 kg일 때 택배를 보내려면 요금은 얼마인지 구해 보세요.

(　　　　　　　　　)

2 어느 날의 환율입니다. 정아와 민수는 각자 가지고 있는 돈으로 최대 몇 달러까지 바꿀 수 있는지 구해 보세요.

1 알맞은 어림 방법에 ◯표 하세요.
1500원을 달러로 바꿀 때 (올림 , 버림 , 반올림)으로 어림합니다.

2 정아는 최대 몇 달러까지 바꿀 수 있을까요?

( )

3 민수는 최대 몇 달러까지 바꿀 수 있을까요?

( )

3 다음 조건 을 모두 만족하는 네 자리 수를 모두 구해 보세요.

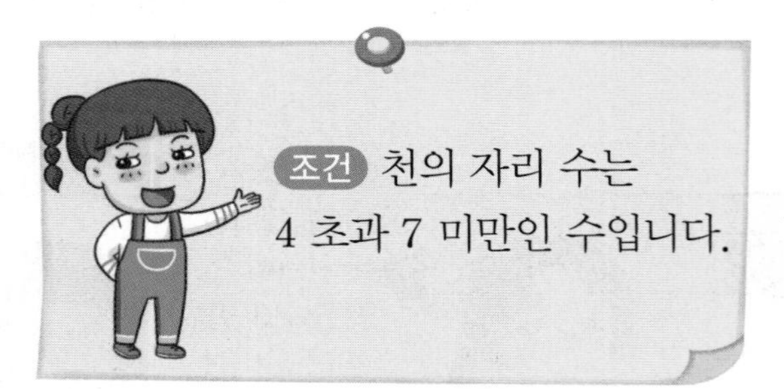

조건 천의 자리 수는
4 초과 7 미만인 수입니다.

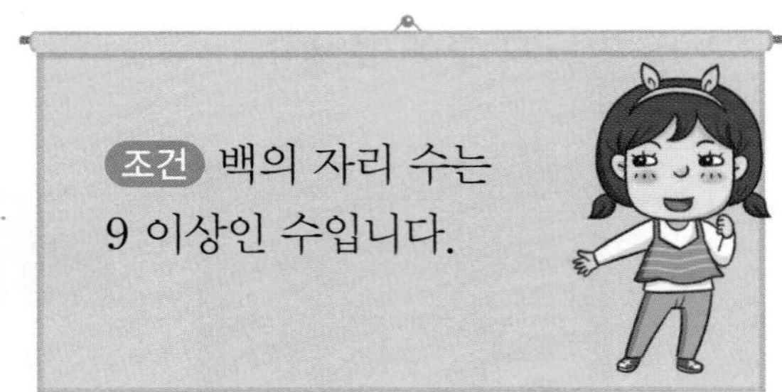

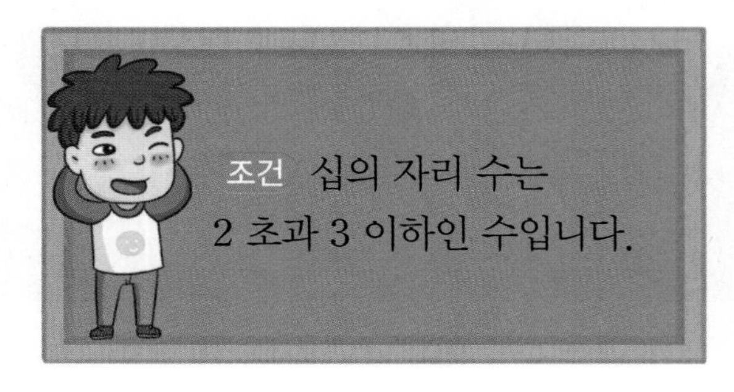

조건 십의 자리 수는
2 초과 3 이하인 수입니다.

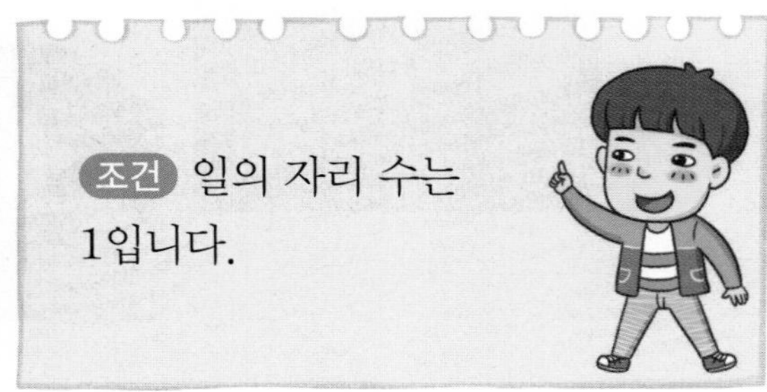

1 천의 자리 수가 될 수 있는 수를 모두 구해 보세요.

( )

2 백의 자리 수를 구해 보세요.

( )

3 십의 자리 수를 구해 보세요.

( )

4 조건 을 모두 만족하는 네 자리 수를 모두 구해 보세요.

( )

4 지역별 인구를 반올림하여 만의 자리까지 나타내어 지도에 써넣고 있습니다. 물음에 답하세요.

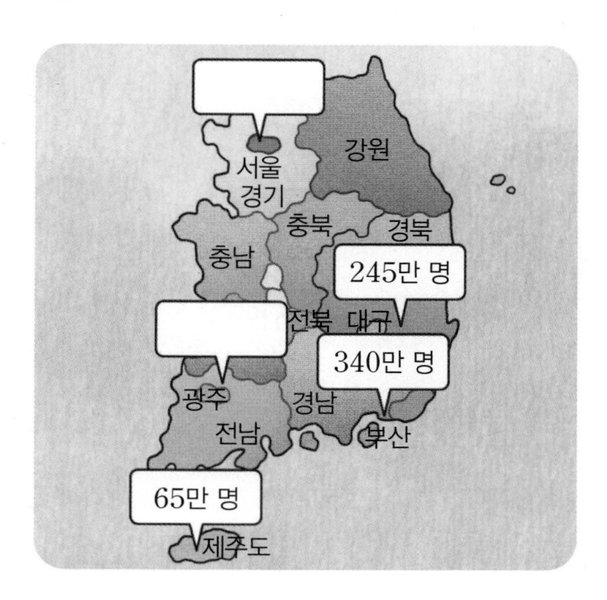

2018년 지역별 인구

지역	인구(명)
서울	9705000
부산	3400000
대구	2450000
광주	1493000
제주도	

1 서울의 인구를 반올림하여 만의 자리까지 나타낸 수를 구하고, 지도에 알맞게 써넣으세요.

9705000 ➔ (   )

2 광주의 인구를 반올림하여 만의 자리까지 나타낸 수를 구하고, 지도에 알맞게 써넣으세요.

1493000 ➔ (   )

3 제주도의 인구가 될 수 없는 수에 ×표 하세요.

654000	649000	655000

2단계 교과 사고력 확장

1 **호우주의보와 호우경보는 기상청에서 발표하는 기상특보의 일부입니다. 호우주의보와 호우경보를 발표하는 기준을 보고 물음에 답하세요.**

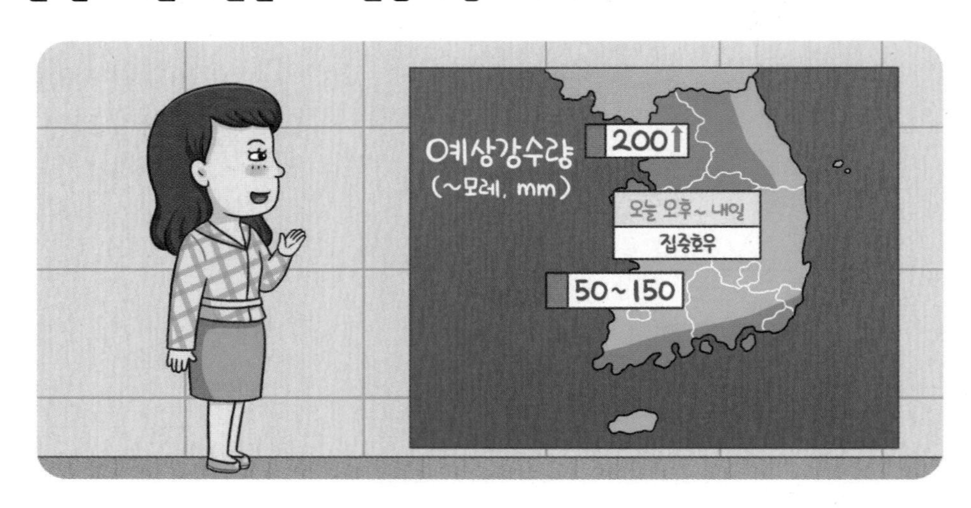

호우주의보

3시간의 강수량이 60 mm 이상으로 예상되거나
12시간의 강수량이 110 mm 이상으로 예상될 경우

호우경보

6시간의 강수량이 110 mm 이상으로 예상되거나
12시간의 강수량이 180 mm 이상으로 예상될 경우

① 어느 도시에 호우주의보가 발표되었습니다. 이 도시의 3시간의 예상 강수량의 범위를 수직선에 나타내어 보세요.

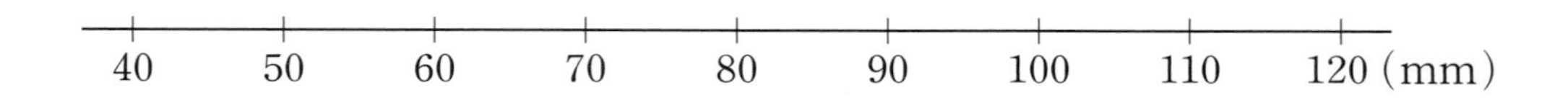

② 어느 도시에 호우경보가 발표되지 않으려면 6시간의 예상 강수량이 얼마여야 하는지 예상 강수량의 범위를 수직선에 나타내어 보세요.

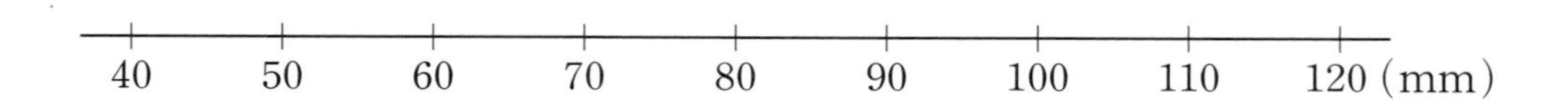

정답과 풀이 p.10

2

화물을 포함한 자동차의 무게를 제한하는 표지판입니다. 표지판이 표시된 도로로 지나갈 수 있는 자동차를 찾아 선으로 이어 보세요. (단, 선은 하나씩만 연결할 수 있습니다.)

1 t은 무게의 단위입니다. 1 t은 1톤이라고 읽고, 1 t=1000 kg입니다.

총 무게가 5.8 t인 자동차가 지나갈 수 있습니다.	총 무게가 5.5 t인 자동차가 지나갈 수 있습니다.	총 무게가 4.8 t인 자동차가 지나갈 수 있습니다.

→ 총 무게가 5.5 t 이하인 자동차만 지나갈 수 있습니다.

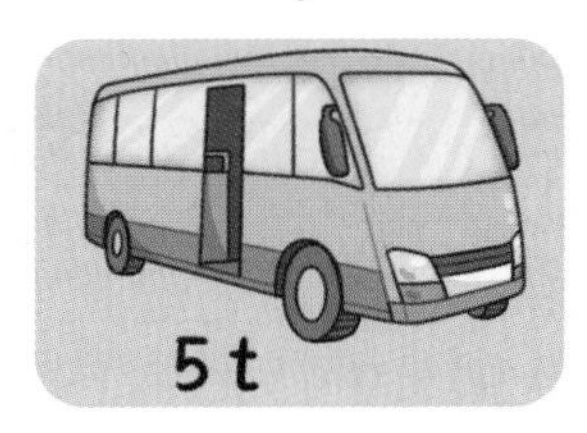

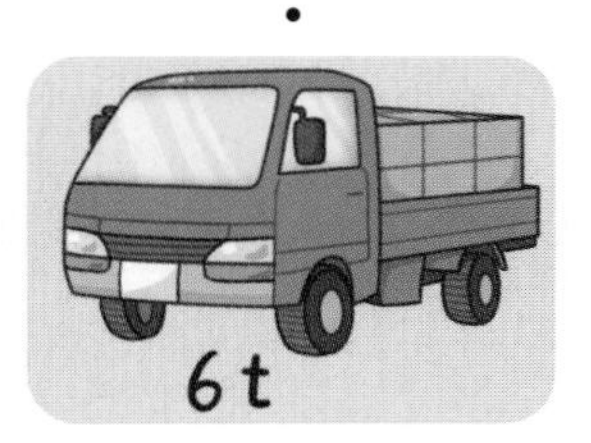

3

세 가지 물건을 사는 데 필요한 금액을 어림했습니다. 세 친구가 어림한 방법 중에서 누구의 방법이 가장 적절한지 알아보세요.

신간 코너
10800원
6400원
16490원
나는 10000원, 6000원, 16000원으로 어림했어. 32000원이면 모두 살 수 있지 않을까?
나는 11000원, 6000원, 16000원으로 어림했어. 33000원이면 모두 살 수 있을 것 같아.
나는 11000원, 7000원, 17000원으로 어림했어. 35000원은 있어야 모두 살 수 있을 것 같아.
태진
지민
시혁

1 태진, 지민, 시혁이가 어림한 방법은 각각 무엇인지 빈칸에 써넣으세요.

이름	태진	지민	시혁
어림 방법			

2 □ 안에 알맞은 수를 써넣고, 알맞은 말에 ○표 하세요.

진열된 물건값을 모두 더하면 □ 원입니다.
따라서 (태진 , 지민 , 시혁)이가 어림한 방법인 (올림 , 버림 , 반올림)이 가장 적절합니다.

정답과 풀이 p.10

4

알맞은 말에 ○표 하여 보기 의 규칙을 완성하고, 규칙에 따라 □ 안에 알맞은 수를 구해 보세요.

1

보기

$4 \star 7 = 30$　　$6 \star 9 = 50$

규칙 가 ★ 나는 가와 나의 (합 , 곱)을 (올림 , 버림 , 반올림)하여 십의 자리까지 나타낸 것입니다.

(1) $3 \star 8 = \square$

(2) $12 \star 9 = \square$

2

보기

$95 \heartsuit 6 = 100$　　$8 \heartsuit 260 = 200$

규칙 가 ♥ 나는 가와 나의 (합 , 곱)을 (올림 , 버림 , 반올림)하여 백의 자리까지 나타낸 것입니다.

(1) $145 \heartsuit 123 = \square$

(2) $80 \heartsuit 322 = \square$

평가 영역 ☑개념 이해력 □개념 응용력 □창의력 □문제 해결력

1 윤주가 1부터 9까지의 수 카드 중에서 한 장을 뽑았습니다. 지성이와 윤주의 대화를 보고 윤주가 뽑은 수 카드의 수를 써 보세요.

( )

평가 영역 ☑개념 이해력 □개념 응용력 □창의력 □문제 해결력

2 팻말에 쓰인 대로 어림한 수가 같은 사람끼리 선으로 이어 보세요.

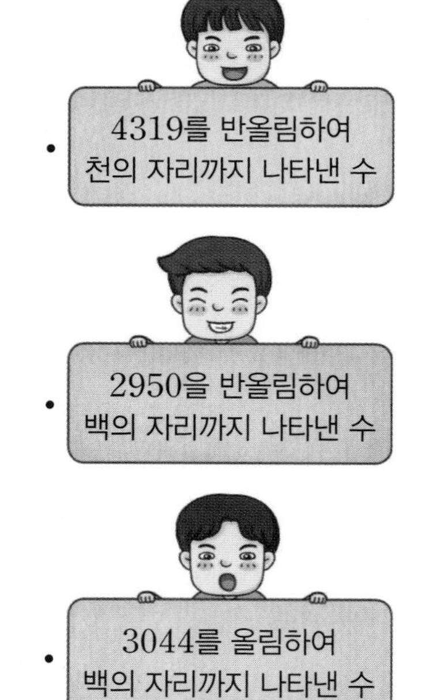

4319를 반올림하여 천의 자리까지 나타낸 수
2950을 반올림하여 백의 자리까지 나타낸 수
3044를 올림하여 백의 자리까지 나타낸 수

정답과 풀이 p.11

평가 영역 □개념 이해력 □개념 응용력 □창의력 ☑문제 해결력

3

규칙에 따라 어림한 수를 빈 곳에 써넣으세요.

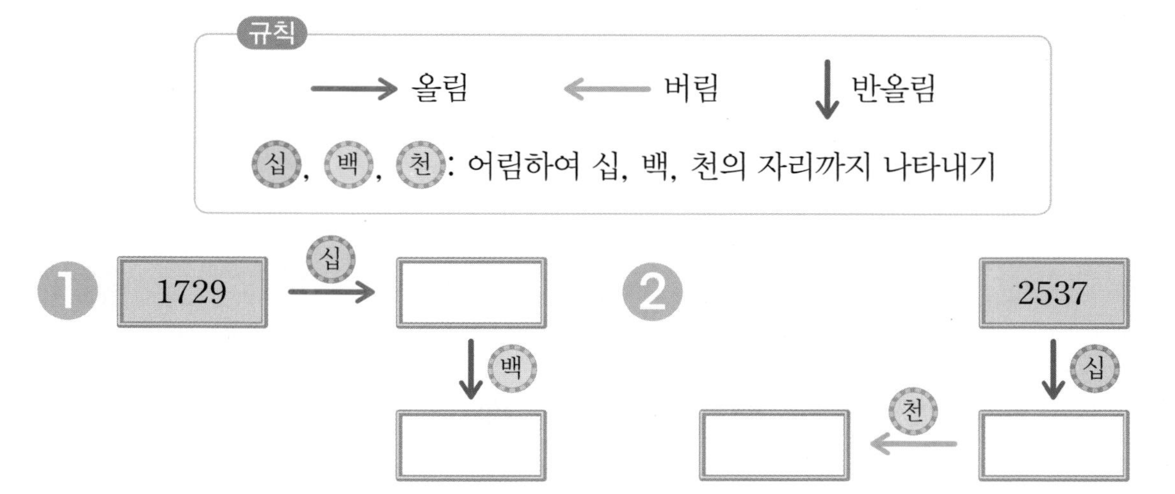

2주 사고력

평가 영역 □개념 이해력 □개념 응용력 ☑창의력 □문제 해결력

4

윗접시저울이 다음과 같을 때 오른쪽 접시에 올라갈 수 있는 물건의 무게를 알아보려고 합니다. □ 안에 알맞은 말을 써넣어 ■와 ▲에 알맞은 수의 범위를 각각 구해 보세요.

① ■ → 7 □ 인 수

② ▲ → 15 □ 인 수

1. 수의 범위와 어림하기

맞은 개수

1

☐ 안에 알맞은 말을 써넣으세요.

37과 같거나 큰 수를 37 ☐인 수라고 하고,

37과 같거나 작은 수를 37 ☐인 수라고 합니다.

2

22 초과인 수에 ○표, 22 미만인 수에 △표 하세요.

15	20	27	17	22
30	36	25	11	29

3

수의 범위를 수직선에 나타내어 보세요.

(1) 14 이상인 수

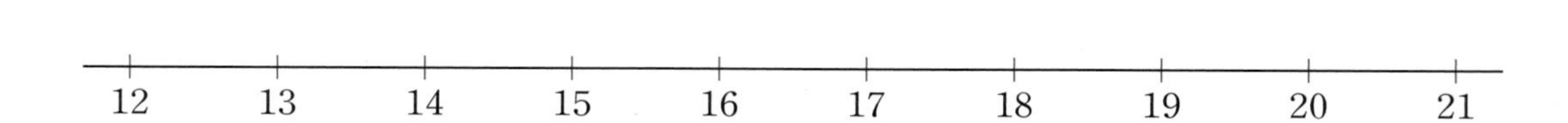

(2) 33 미만인 수

4

615를 올림하여 백의 자리까지 나타내어 보세요.

( )

5 27 이상인 수를 모두 찾아 써 보세요.

28.6	26.9	25
27	15.8	19.2

( )

6 수직선에 나타낸 수의 범위를 찾아 선으로 이어 보세요.

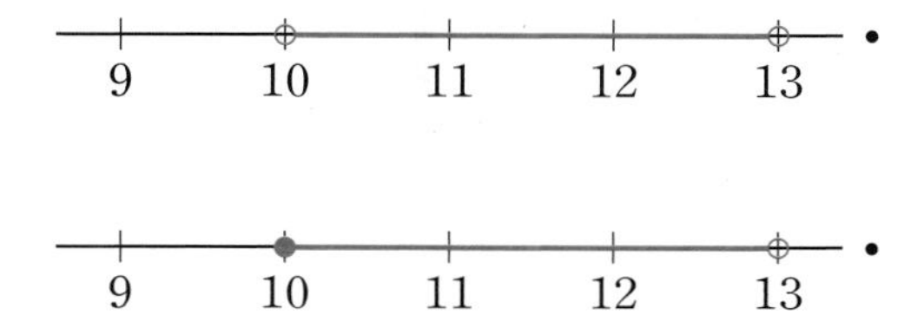

- 10 이상 13 미만인 수
- 10 초과 13 미만인 수
- 10 초과 13 이하인 수

7 반올림하여 주어진 자리까지 나타내어 보세요.

수	십의 자리	백의 자리	천의 자리
2458			

8 43을 포함하는 수의 범위를 모두 찾아 기호를 써 보세요.

㉠ 44 이상 46 이하인 수	㉡ 43 이상 47 미만인 수
㉢ 40 초과 45 미만인 수	㉣ 44 초과 49 이하인 수

(　　　　　　　　)

9 어림한 수의 크기를 비교하여 ◯ 안에 >, =, <를 알맞게 써넣으세요.

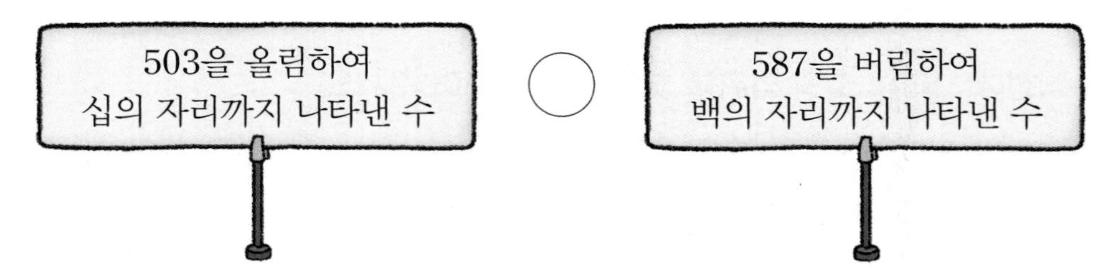

10 반올림하여 백의 자리까지 나타낸 수가 다른 하나를 찾아 기호를 써 보세요.

㉠ 2381　　㉡ 2415　　㉢ 2409　　㉣ 2348

(　　　　　　　　)

11 30 초과 38 미만인 수는 모두 몇 개일까요?

38　　40　　33　　36　　30

(　　　　　　　　)

[12~13] 민호네 모둠 학생들의 몸무게를 나타낸 표입니다. 물음에 답하세요.

민호네 모둠 학생들의 몸무게

이름	몸무게	이름	몸무게
민호	52 kg	가영	41 kg
연지	45 kg	효정	39 kg
남재	50 kg	빈우	40 kg

12

몸무게가 42 kg 초과인 학생의 이름을 모두 써 보세요.

( )

13

몸무게가 40 kg 이상 44 kg 미만인 학생은 몇 명일까요?

( )

14

귤 536개를 한 봉지에 10개씩 담아 판다면 팔 수 있는 귤은 최대 몇 봉지일까요?

( )

15 3장의 수 카드 중 2장을 골라 한 번씩만 사용하여 50 미만인 두 자리 수를 모두 만들어 보세요.

( )

16 텐트 한 개에 10명까지 들어갈 수 있습니다. 민주네 학교 학생 215명이 모두 텐트에서 잠을 자려면 텐트는 최소 몇 개 필요할까요?

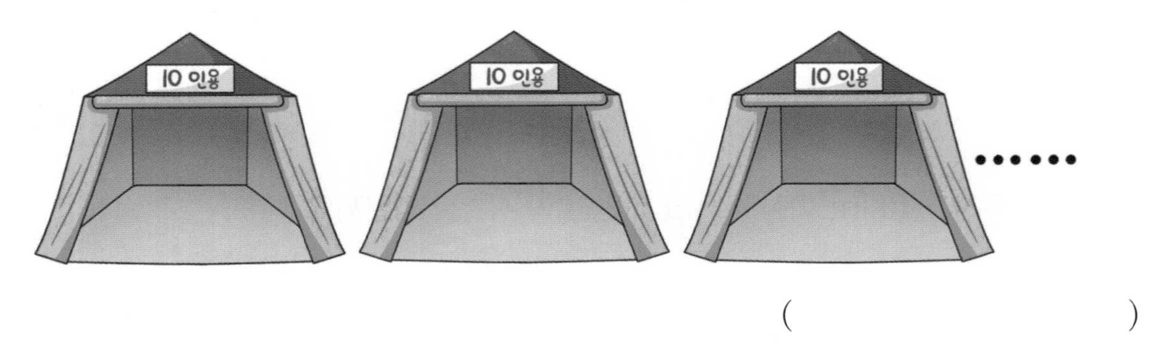

( )

17 버림하여 십의 자리까지 나타내었을 때 470이 되는 자연수 중에서 가장 작은 수와 가장 큰 수를 각각 구해 보세요.

가장 작은 수 ( )
가장 큰 수 ( )

특강 창의·융합 사고력

정답과 풀이 p.12

2 주 평가

1 민수네 가족이 놀이공원에 놀러 갔습니다. 아빠와 엄마는 45살이고, 민수는 15살, 현수는 14살, 리아는 10살입니다. 민수네 가족이 전부 놀이공원에 들어가는 데 필요한 돈은 모두 얼마인지 구해 보세요.

(1) □ 안에 어른, 청소년, 어린이를 각각 알맞게 써넣으세요.

(2) 민수네 가족이 놀이공원에 들어가는 데 필요한 돈은 모두 얼마일까요?

( )

(3) 민수네 가족의 입장료를 10000원짜리 지폐로만 내려면 최소 얼마가 필요할까요?

( )

2 분수의 곱셈

단원과 관련된
분수의 곱셈 이야기를
살펴보아요.

분수 막대를 이용한 분수의 곱셈

분수 막대를 이용하여 여러 가지 분수를 표현할 수 있고 분수의 곱셈 원리를 이해할 수 있습니다. 그럼 (단위분수)×(자연수)의 계산 원리를 알아볼까요?

$$\frac{1}{4}+\frac{1}{4}=\frac{1}{4}\times 2=\frac{2}{4}=\frac{1}{2}$$

$$\frac{1}{6}+\frac{1}{6}+\frac{1}{6}=\frac{1}{6}\times 3=\frac{3}{6}=\frac{1}{2}$$

$$\frac{1}{8}+\frac{1}{8}+\frac{1}{8}+\frac{1}{8}=\frac{1}{8}\times 4=\frac{4}{8}=\frac{1}{2}$$

$$\frac{1}{10}+\frac{1}{10}+\frac{1}{10}+\frac{1}{10}+\frac{1}{10}=\frac{1}{10}\times 5=\frac{5}{10}=\frac{1}{2}$$

$$\frac{1}{12}+\frac{1}{12}+\frac{1}{12}+\frac{1}{12}+\frac{1}{12}+\frac{1}{12}=\frac{1}{12}\times 6=\frac{6}{12}=\frac{1}{2}$$

분수 막대에서 보면 $\frac{1}{4}$ 막대가 2개인 양은 $\frac{1}{2}$ 막대 1개인 양과 같아요.

$\frac{1}{6}$ 막대가 3개인 양, $\frac{1}{8}$ 막대가 4개인 양, $\frac{1}{10}$ 막대가 5개인 양, $\frac{1}{12}$ 막대가 6개인 양도 각각 $\frac{1}{2}$ 막대 1개인 양과 같다는 걸 알 수 있어요. 따라서 다음과 같은 식이 성립합니다.

$$\frac{1}{4}\times 2=\frac{1}{6}\times 3=\frac{1}{8}\times 4=\frac{1}{10}\times 5=\frac{1}{12}\times 6=\frac{1}{2}$$

분수 막대를 보고 □ 안에 알맞은 수를 써넣으세요.

$$\frac{1}{6}+\frac{1}{6}=\frac{1}{6}\times\square=\frac{\square}{6}=\frac{\square}{3}$$

$$\frac{1}{9}+\frac{1}{9}+\frac{1}{9}=\frac{1}{9}\times\square=\frac{\square}{9}=\frac{\square}{3}$$

$$\frac{1}{12}+\frac{1}{12}+\frac{1}{12}+\frac{1}{12}=\frac{1}{12}\times\square=\frac{\square}{12}=\frac{\square}{3}$$

$$\frac{1}{6}\times 2=\frac{1}{9}\times\square=\frac{1}{12}\times\square=\frac{1}{3}$$

개념 1 (진분수)×(자연수)

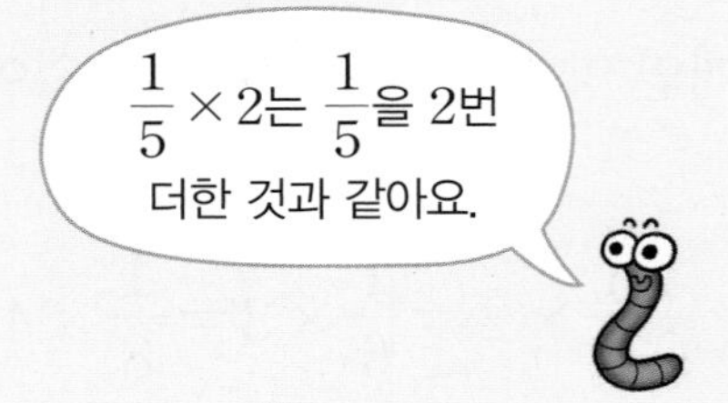

$\frac{1}{5}\times 2$는 $\frac{1}{5}$을 2번 더한 것과 같아요.

- $\frac{1}{5}\times 2$의 계산

$$\frac{1}{5}\times 2=\frac{1}{5}+\frac{1}{5}=\frac{1\times 2}{5}=\frac{2}{5}$$

- $\frac{4}{9}\times 3$의 계산

방법 1 분자와 자연수를 곱한 후, 분모와 분자를 약분하여 계산하기

$$\frac{4}{9}\times 3=\frac{4\times 3}{9}=\frac{\cancel{12}^{4}}{\cancel{9}_{3}}=\frac{4}{3}=1\frac{1}{3}$$

방법 2 분자와 자연수를 곱하기 전, 분모와 분자를 약분하여 계산하기

$$\frac{4}{9}\times 3=\frac{4\times \cancel{3}^{1}}{\cancel{9}_{3}}=\frac{4}{3}=1\frac{1}{3}$$

방법 3 (분수)×(자연수)의 식에서 분모와 자연수를 약분하여 계산하기

$$\frac{4}{\cancel{9}_{3}}\times \cancel{3}^{1}=\frac{4}{3}=1\frac{1}{3}$$

(진분수)×(자연수)는 분수의 분모는 그대로 두고 분자와 자연수를 곱하여 계산합니다.

개념 2 (대분수)×(자연수)

- $1\frac{2}{3}\times 2$의 계산

방법 1 대분수를 가분수로 나타내어 계산하기

$$1\frac{2}{3}\times 2=\frac{5}{3}\times 2=\frac{5\times 2}{3}=\frac{10}{3}=3\frac{1}{3}$$

대분수 → 가분수

방법 2 대분수를 자연수와 진분수의 합으로 바꾸어 계산하기

$$1\frac{2}{3}\times 2=(1\times 2)+\left(\frac{2}{3}\times 2\right)=2+\frac{4}{3}=2+1\frac{1}{3}=3\frac{1}{3}$$

$1+\frac{2}{3}$

참고 대분수를 가분수로 나타내기 전에 분모와 자연수를 약분하지 않도록 주의합니다.

$1\frac{5}{\cancel{6}_{2}}\times \cancel{3}^{1}=1\frac{5}{2}=3\frac{1}{2}$ (×)

$1\frac{5}{6}\times 3=\frac{11}{\cancel{6}_{2}}\times \cancel{3}^{1}=\frac{11}{2}=5\frac{1}{2}$ (○)

1-1

$\frac{7}{12}\times 4$를 여러 가지 방법으로 계산한 것입니다. □ 안에 알맞은 수를 써넣으세요.

방법 1 $\frac{7}{12}\times 4=\frac{7\times 4}{12}=\frac{\overset{\square}{\cancel{28}}}{\underset{\square}{\cancel{12}}}=\frac{\square}{\square}=\square\frac{\square}{\square}$

방법 2 $\frac{7}{12}\times 4=\frac{7\times \overset{\square}{\cancel{4}}}{\underset{\square}{\cancel{12}}}=\frac{\square}{\square}=\square\frac{\square}{\square}$

방법 3 $\frac{7}{\underset{\square}{\cancel{12}}}\times \overset{\square}{\cancel{4}}=\frac{\square}{\square}=\square\frac{\square}{\square}$

1-2

계산해 보세요.

(1) $\frac{2}{7}\times 3$

(2) $\frac{7}{18}\times 15$

2-1

$1\frac{2}{9}\times 3$을 두 가지 방법으로 계산한 것입니다. □ 안에 알맞은 수를 써넣으세요.

방법 1 $1\frac{2}{9}\times 3=\frac{\square}{9}\times 3=\frac{\square\times \overset{1}{\cancel{3}}}{\underset{3}{\cancel{9}}}=\frac{\square}{3}=\square\frac{\square}{\square}$

방법 2 $1\frac{2}{9}\times 3=(1\times\square)+\left(\frac{\square}{\underset{3}{\cancel{9}}}\times \overset{1}{\cancel{3}}\right)=\square+\frac{\square}{\square}=\square\frac{\square}{\square}$

2-2

두 수의 곱을 구해 보세요.

$2\frac{5}{8}$	24

(   )

1 단계 교과서 개념 잡기

개념 3 (자연수) × (진분수)

- $12\times\frac{2}{3}$를 그림으로 계산하기

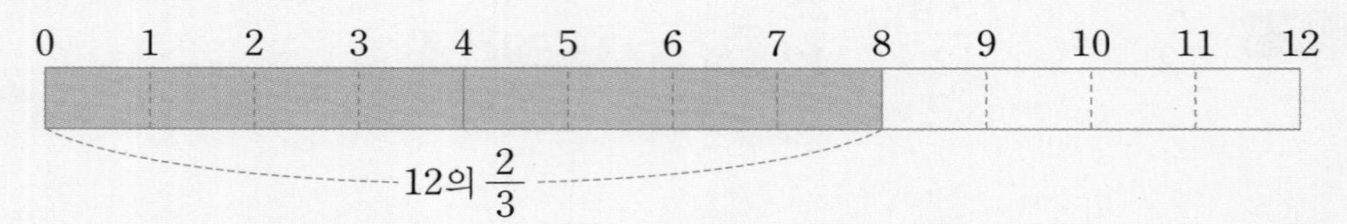

$12\times\frac{1}{3}$은 12를 3등분한 것 중 1이므로 $12\times\frac{1}{3}=4$입니다.

$12\times\frac{2}{3}$는 12를 3등분한 것 중 2이므로 $12\times\frac{2}{3}=8$입니다.

- $8\times\frac{5}{6}$의 계산

방법 1 자연수와 분자를 곱한 후, 분모와 분자를 약분하여 계산하기

$$8\times\frac{5}{6}=\frac{8\times5}{6}=\frac{\overset{20}{\cancel{40}}}{\underset{3}{\cancel{6}}}=\frac{20}{3}=6\frac{2}{3}$$

방법 2 자연수와 분자를 곱하기 전, 분모와 분자를 약분하여 계산하기

$$8\times\frac{5}{6}=\frac{\overset{4}{\cancel{8}}\times5}{\underset{3}{\cancel{6}}}=\frac{20}{3}=6\frac{2}{3}$$

방법 3 (자연수) × (분수)의 식에서 자연수와 분모를 약분하여 계산하기

$$\overset{4}{\cancel{8}}\times\frac{5}{\underset{3}{\cancel{6}}}=\frac{20}{3}=6\frac{2}{3}$$

(자연수) × (진분수)는 분수의 분모는 그대로 두고 자연수와 분자를 곱하여 계산합니다.

개념 4 (자연수) × (대분수)

- $6\times1\frac{3}{4}$의 계산

방법 1 대분수를 가분수로 나타내어 계산하기

$$6\times1\frac{3}{4}=\overset{3}{\cancel{6}}\times\frac{7}{\underset{2}{\cancel{4}}}=\frac{21}{2}=10\frac{1}{2}$$

방법 2 대분수를 자연수와 진분수의 합으로 바꾸어 계산하기

$$6\times1\frac{3}{4}=(6\times1)+(\overset{3}{\cancel{6}}\times\frac{3}{\underset{2}{\cancel{4}}})=6+\frac{9}{2}=6+4\frac{1}{2}=10\frac{1}{2}$$

↳ $1+\frac{3}{4}$

3-1 $9\times\frac{8}{21}$을 여러 가지 방법으로 계산한 것입니다. □ 안에 알맞은 수를 써넣으세요.

방법 1 $9\times\frac{8}{21}=\frac{9\times8}{21}=\frac{\overset{\square}{\cancel{72}}}{\underset{\square}{\cancel{21}}}=\frac{\square}{\square}=\square\frac{\square}{\square}$

방법 2 $9\times\frac{8}{21}=\frac{\overset{\square}{\cancel{9}}\times8}{\underset{\square}{\cancel{21}}}=\frac{\square}{\square}=\square\frac{\square}{\square}$

방법 3 $\overset{\square}{\cancel{9}}\times\frac{8}{\underset{\square}{\cancel{21}}}=\frac{\square}{\square}=\square\frac{\square}{\square}$

3-2 빈칸에 알맞은 수를 써넣으세요.

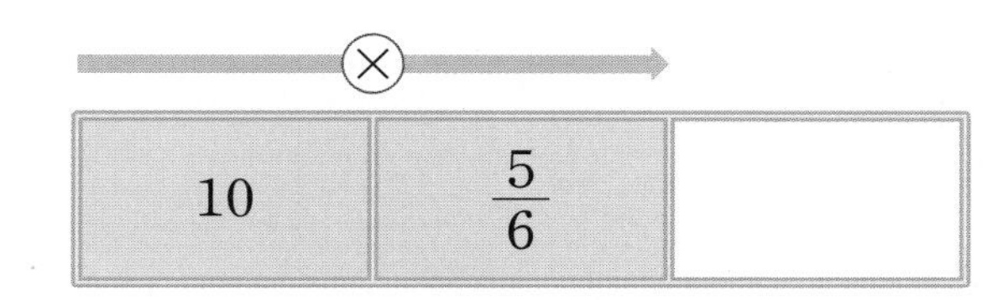

4-1 $3\times1\frac{2}{3}$를 계산하려고 합니다. 그림을 보고 □ 안에 알맞은 수를 써넣으세요.

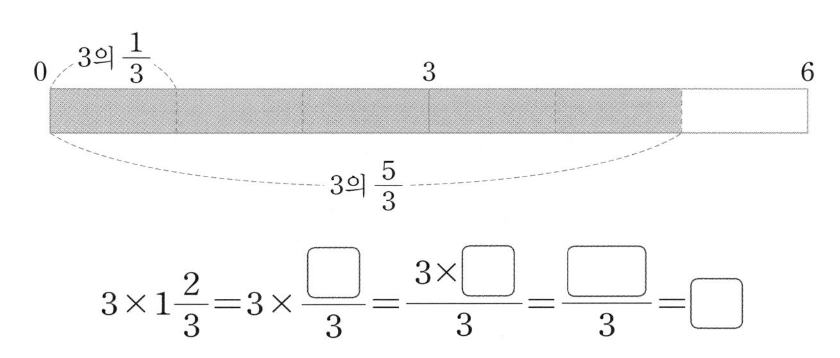

$$3\times1\frac{2}{3}=3\times\frac{\square}{3}=\frac{3\times\square}{3}=\frac{\square}{3}=\square$$

4-2 계산해 보세요.

(1) $4\times2\frac{1}{3}$

(2) $8\times1\frac{3}{10}$

개념 5 진분수의 곱셈

• (단위분수)×(단위분수)

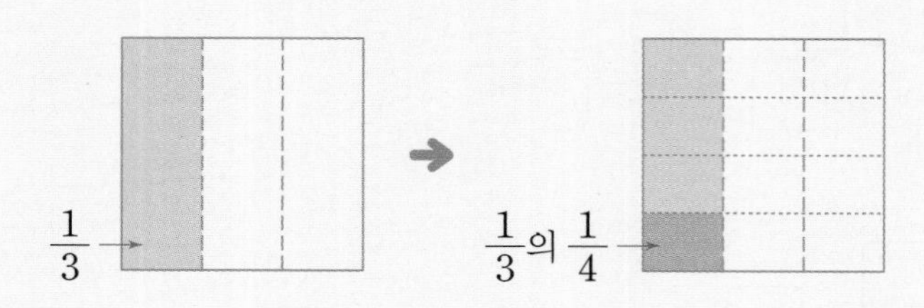

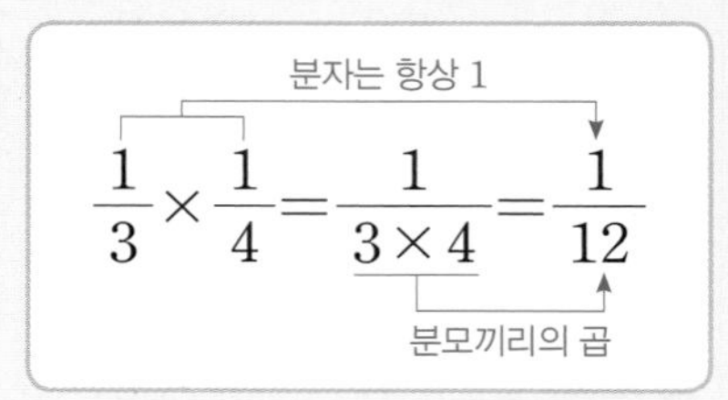

분자는 항상 1
$\frac{1}{3}\times\frac{1}{4}=\frac{1}{3\times4}=\frac{1}{12}$
분모끼리의 곱

➔ (단위분수)×(단위분수)는 분자는 항상 1이고 분모끼리 곱합니다.

• (진분수)×(단위분수)

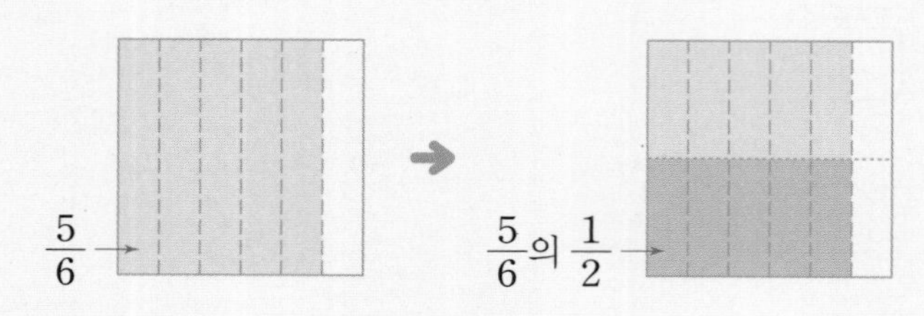

분자는 그대로

$$\frac{5}{6}\times\frac{1}{2}=\frac{5}{6\times2}=\frac{5}{12}$$

분모끼리의 곱

➔ (진분수)×(단위분수)는 진분수의 분자는 그대로 두고 분모끼리 곱합니다.

• (진분수)×(진분수)

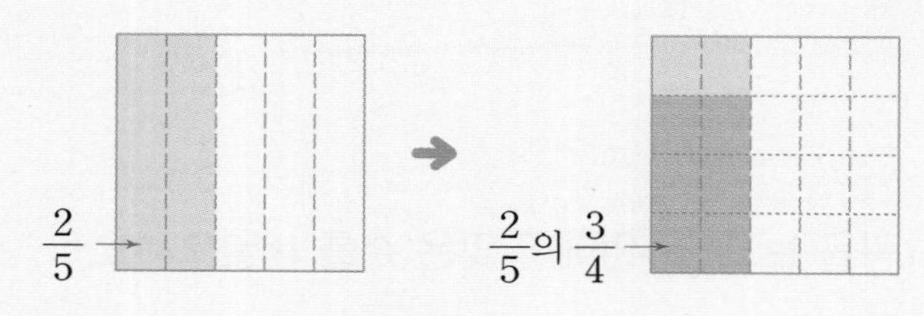

$$\frac{2}{5}\times\frac{3}{4}=\frac{2\times3}{5\times4}=\frac{\overset{3}{\cancel{6}}}{\underset{10}{\cancel{20}}}=\frac{3}{10}$$

➔ (진분수)×(진분수)는 분자는 분자끼리, 분모는 분모끼리 곱합니다.

참고 $\frac{2}{5}\times\frac{3}{4}=\frac{\overset{1}{\cancel{2}}\times3}{5\times\underset{2}{\cancel{4}}}=\frac{3}{10}$ 또는 $\frac{\overset{1}{\cancel{2}}}{5}\times\frac{3}{\underset{2}{\cancel{4}}}=\frac{3}{10}$과 같이 계산할 수도 있습니다.

• 세 분수의 곱셈

$$\frac{3}{5}\times\frac{2}{3}\times\frac{7}{8}=\frac{3\times2\times7}{5\times3\times8}=\frac{\overset{7}{\cancel{42}}}{\underset{20}{\cancel{120}}}=\frac{7}{20}$$

➔ 세 분수의 곱셈은 분자는 분자끼리, 분모는 분모끼리 곱합니다.

참고 $\frac{3}{5}\times\frac{2}{3}\times\frac{7}{8}=\frac{\overset{1}{\cancel{3}}\times\overset{1}{\cancel{2}}\times7}{5\times\underset{1}{\cancel{3}}\times\underset{4}{\cancel{8}}}=\frac{7}{20}$ 또는 $\frac{\overset{1}{\cancel{3}}}{5}\times\frac{\overset{1}{\cancel{2}}}{\underset{1}{\cancel{3}}}\times\frac{7}{\underset{4}{\cancel{8}}}=\frac{7}{20}$과 같이 계산할 수도 있습니다.

개념 확인 문제

정답과 풀이 p.14

5-1 그림을 보고 □ 안에 알맞은 수를 써넣으세요.

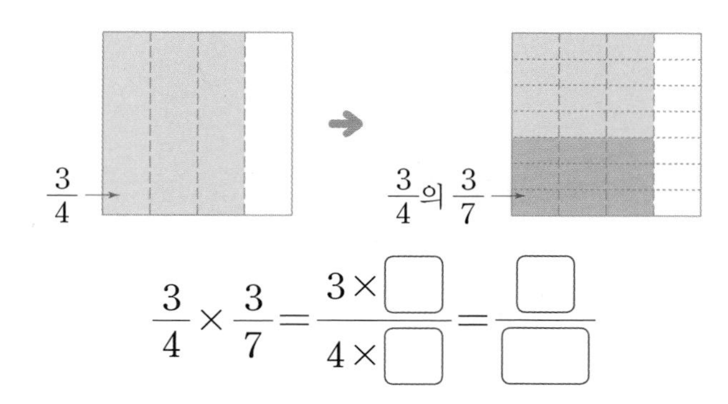

$$\frac{3}{4} \times \frac{3}{7} = \frac{3 \times \square}{4 \times \square} = \frac{\square}{\square}$$

3주 교과서

5-2 □ 안에 알맞은 수를 써넣으세요.

(1) $\frac{4}{7} \times \frac{1}{3} = \frac{4 \times 1}{\square \times \square} = \frac{\square}{\square}$

(2) $\frac{5}{8} \times \frac{3}{5} = \frac{\overset{1}{\cancel{5}} \times \square}{\square \times \underset{1}{\cancel{5}}} = \frac{\square}{\square}$

5-3 계산해 보세요.

$$\frac{1}{5} \times \frac{1}{3} \times \frac{5}{8}$$

(　　　　　　　　)

5-4 빈 곳에 알맞은 수를 써넣으세요.

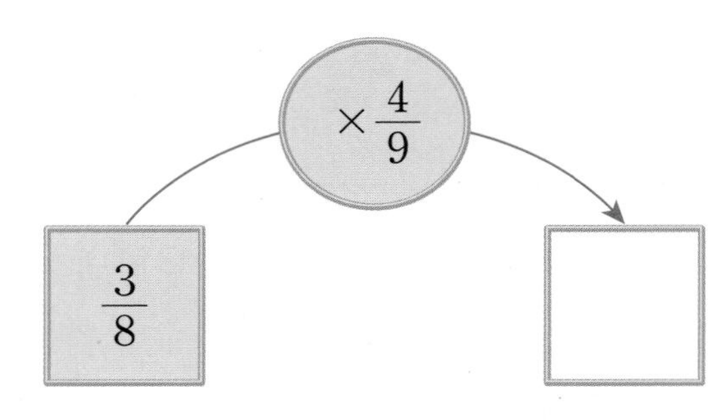

1단계 교과서 개념 잡기

개념 6 (대분수)×(대분수)

- $2\frac{2}{5}\times1\frac{1}{6}$의 계산

방법 1 대분수를 가분수로 나타내어 계산하기

$$2\frac{2}{5}\times1\frac{1}{6}=\frac{\overset{2}{\cancel{12}}}{5}\times\frac{7}{\underset{1}{\cancel{6}}}=\frac{14}{5}=2\frac{4}{5}$$

대분수 → 가분수

방법 2 대분수를 자연수와 진분수의 합으로 바꾸어 계산하기

$$2\frac{2}{5}\times1\frac{1}{6}=\left(2\frac{2}{5}\times1\right)+\left(2\frac{2}{5}\times\frac{1}{6}\right)=2\frac{2}{5}+\left(\frac{\overset{2}{\cancel{12}}}{5}\times\frac{1}{\underset{1}{\cancel{6}}}\right)=2\frac{2}{5}+\frac{2}{5}=2\frac{4}{5}$$

$1\frac{1}{6}$ → $1+\frac{1}{6}$

대분수 → 자연수와 진분수의 합

참고 대분수끼리 곱셈을 할 때 대분수 상태에서 약분하지 않도록 주의합니다.

$$2\frac{\overset{1}{\cancel{2}}}{5}\times1\frac{1}{\underset{3}{\cancel{6}}}=\frac{11}{5}\times\frac{4}{3}=\frac{44}{15}=2\frac{14}{15}$$ (✕)

개념 7 여러 가지 분수의 곱셈

(자연수)×(분수), (분수)×(자연수), (분수)×(분수) 등 여러 가지 분수의 곱셈은 분자는 분자끼리, 분모는 분모끼리 곱하여 계산합니다.

- (자연수)×(분수)의 계산 예 $7\times\frac{3}{8}=\frac{7}{1}\times\frac{3}{8}=\frac{21}{8}=2\frac{5}{8}$
- (분수)×(자연수)의 계산 예 $\frac{7}{10}\times9=\frac{7}{10}\times\frac{9}{1}=\frac{63}{10}=6\frac{3}{10}$
- (분수)×(대분수)의 계산 예 $\frac{3}{7}\times2\frac{2}{3}=\frac{\overset{1}{\cancel{3}}}{7}\times\frac{8}{\underset{1}{\cancel{3}}}=\frac{8}{7}=1\frac{1}{7}$

자연수는 분모가 1인 분수로 나타낼 수 있어요.

자연수나 대분수는 모두 가분수 형태로 나타낼 수 있습니다.
따라서 분수가 들어간 모든 곱셈은 진분수나 가분수 형태로 나타낸 후, 분자는 분자끼리, 분모는 분모끼리 곱하여 계산할 수 있습니다.

정답과 풀이 p.15

6-1 □ 안에 알맞은 수를 써넣으세요.

(1) $2\frac{3}{5}\times1\frac{1}{3}=\frac{\square}{5}\times\frac{\square}{3}=\frac{\square}{\square}=\square\frac{\square}{\square}$

(2) $3\frac{1}{2}\times1\frac{3}{5}=\frac{\square}{2}\times\frac{8}{5}=\frac{\square}{\square}=\square\frac{\square}{\square}$

6-2 빈 곳에 두 수의 곱을 써넣으세요.

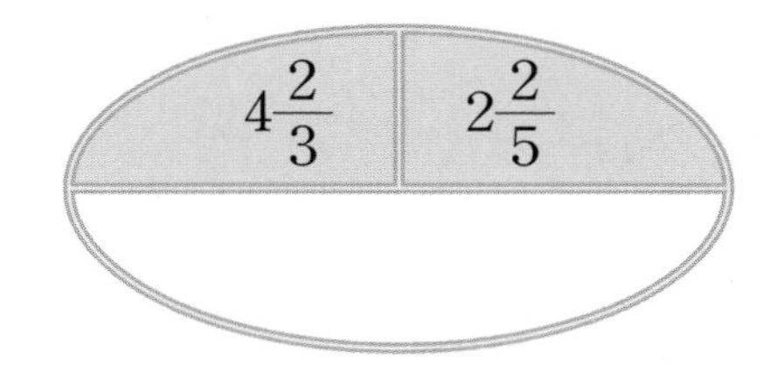

7-1 □ 안에 알맞은 수를 써넣으세요.

(1) $4\times\frac{3}{7}=\frac{4}{\square}\times\frac{3}{7}=\frac{4\times3}{\square\times\square}=\frac{\square}{\square}=\square\frac{\square}{\square}$

(2) $\frac{7}{8}\times5=\frac{7}{8}\times\frac{5}{\square}=\frac{7\times5}{\square\times\square}=\frac{\square}{\square}=\square\frac{\square}{\square}$

7-2 보기 와 같이 계산해 보세요.

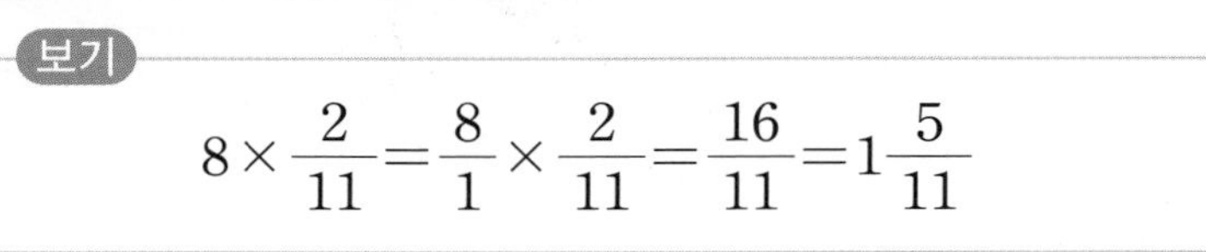

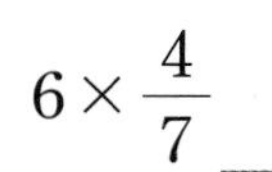

PLAY 교과서 개념 스토리

좋아하는 둥이 풍선 찾기

준비물 붙임딱지

놀이 공원에서 친구들이 좋아하는 둥이 풍선을 찾고 있습니다. 친구들이 말하는 몸무게에 알맞은 둥이 풍선 붙임딱지를 붙여 보세요.

둥이 몸무게는 내 몸무게의 $1\frac{3}{5}$ 배야.
20 kg
32 kg
둥이 몸무게는 내 몸무게의 2배야.
$21\frac{1}{4}$ kg
둥이 몸무게는 내 몸무게의 $\frac{1}{4}$ 배야.
$30\frac{2}{3}$ kg
둥이 몸무게는 내 몸무게의 $\frac{3}{7}$ 배야.
$24\frac{1}{2}$ kg
099
둥이 몸무게는 내 몸무게의 $\frac{4}{11}$ 배야.
44 kg
둥이 몸무게는 내 몸무게의 $1\frac{2}{5}$ 배야.
25 kg

해피 랜드
3
주
교과서
둥이 몸무게는
내 몸무게의 3배야.
$26\frac{2}{3}$ kg
둥이 몸무게는
내 몸무게의 $\frac{2}{9}$ 배야.
36 kg
둥이 몸무게는
내 몸무게의 $\frac{2}{5}$ 배야.
$32\frac{1}{2}$ kg
둥이 몸무게는
내 몸무게의 $\frac{3}{8}$ 배야.
$40\frac{4}{9}$ kg
둥이 몸무게는
내 몸무게의 $\frac{4}{7}$ 배야.
42 kg
둥이 몸무게는
내 몸무게의 $1\frac{1}{5}$ 배야.
$24\frac{1}{6}$ kg

PLAY 교과서 개념 스토리

새 창호지 붙이기

준비물 붙임딱지

창문에 창호지가 찢어진 부분을 새 창호지로 바꾸어 붙이려고 합니다. 창문에 적힌 세 분수의 곱으로 알맞은 창호지 붙임딱지를 붙여 보세요.

$\frac{1}{4}$

$\frac{5}{6}$ $\frac{4}{5}$

$\frac{2}{3}$ $\frac{5}{11}$

$\frac{3}{4}$

4

$\frac{5}{9}$ $\frac{8}{15}$

$\frac{5}{6}$

$\frac{2}{7}$ $\frac{2}{5}$

3
주
교과서
$\frac{5}{9}$
$\frac{3}{16}$
8
9
$1\frac{2}{5}$
$\frac{5}{14}$
$\frac{7}{15}$
6
$1\frac{2}{3}$
$\frac{4}{9}$
$\frac{3}{5}$
$1\frac{1}{4}$
$\frac{5}{8}$
$\frac{3}{7}$
$2\frac{1}{10}$
$2\frac{2}{3}$
$1\frac{5}{6}$
$2\frac{1}{4}$

2단계 교과서 개념 다지기

개념 1 (진분수) × (자연수)

01 계산 결과를 찾아 이어 보세요.

$\frac{5}{18}\times 9$ •	• $2\frac{2}{3}$
$\frac{4}{9}\times 6$ •	• $2\frac{1}{2}$
$\frac{5}{6}\times 4$ •	• $3\frac{1}{3}$

02 빈칸에 알맞은 수를 써넣으세요.

⊗ →

$\frac{3}{4}$	9	
$\frac{5}{8}$	12	

03 끈을 사용하여 그림과 같이 한 변의 길이가 $\frac{2}{9}$ m인 정삼각형을 한 개 만들었습니다. 만든 정삼각형의 둘레는 몇 m인지 구해 보세요.

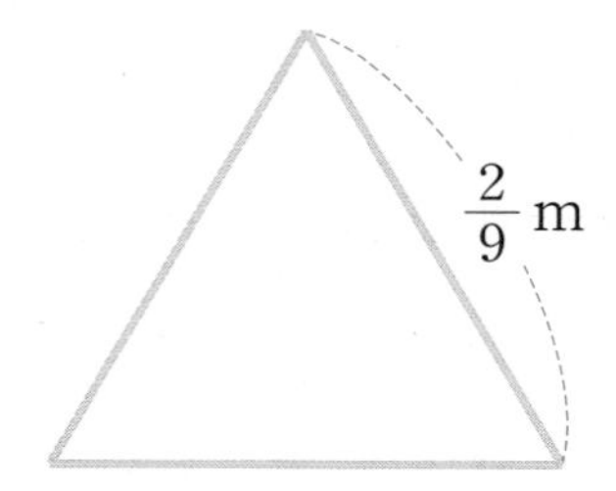

(　　　　　　　　)

개념 2 (대분수)×(자연수)

04 보기 와 같이 계산해 보세요.

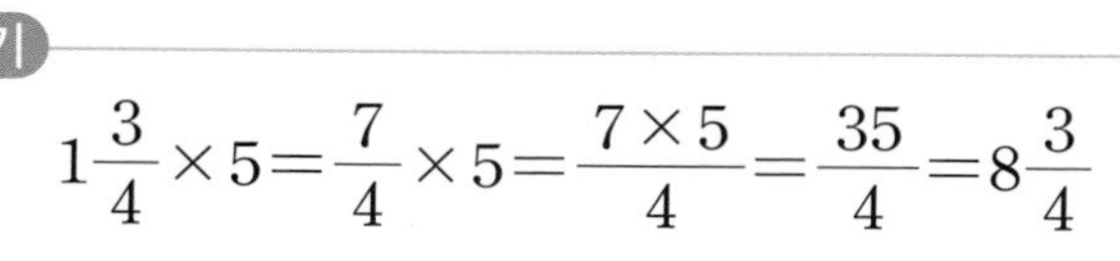
보기

$$1\frac{3}{4}\times 5=\frac{7}{4}\times 5=\frac{7\times 5}{4}=\frac{35}{4}=8\frac{3}{4}$$

대분수를 가분수로
나타내어 계산했어요.

$2\frac{3}{8}\times 3$ ____________________

05 계산해 보세요.

(1) $1\frac{1}{6}\times 8$

(2) $2\frac{3}{10}\times 5$

06 빈칸에 알맞은 수를 써넣으세요.

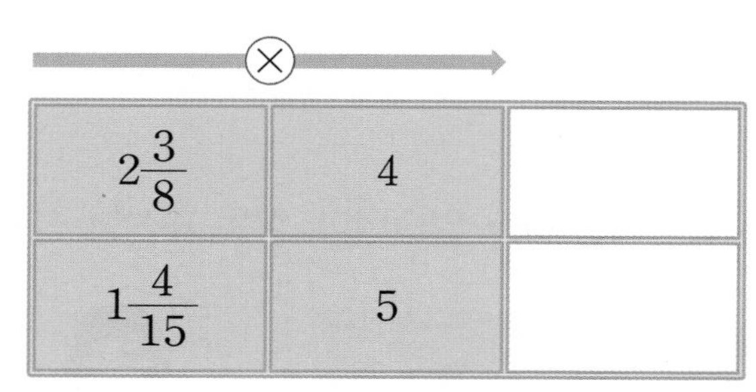

$\times$ →

$2\frac{3}{8}$	4	
$1\frac{4}{15}$	5	

07 준우가 가지고 있는 고무줄의 길이는 모두 몇 m인지 식을 쓰고 답을 구해 보세요.

길이가 $1\frac{5}{6}$ m인 고무줄을
10개 가지고 있어.

준우

식 ____________________

답 ____________________

개념 3 (자연수)$\times$(진분수)

08 두 수의 곱을 구해 보세요.

24　　$\frac{5}{6}$

(　　　　　　　　)

09 빈 곳에 알맞은 수를 써넣으세요.

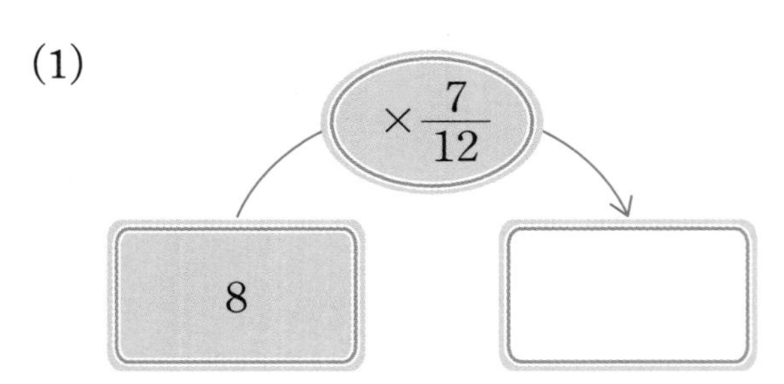

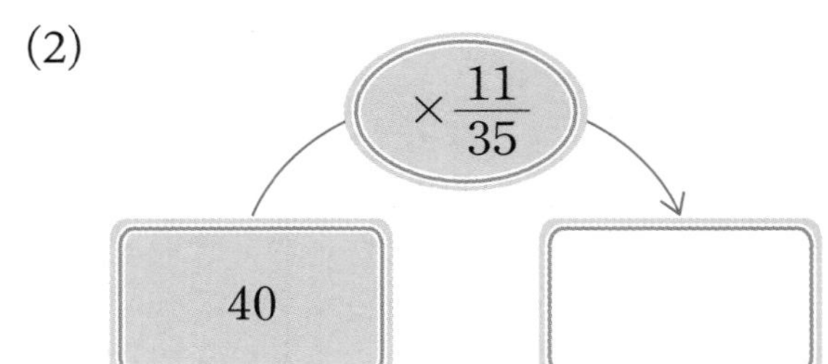

10 강호와 예지가 수학 숙제를 하고 있습니다. 잘못 계산한 친구의 이름을 써 보세요.

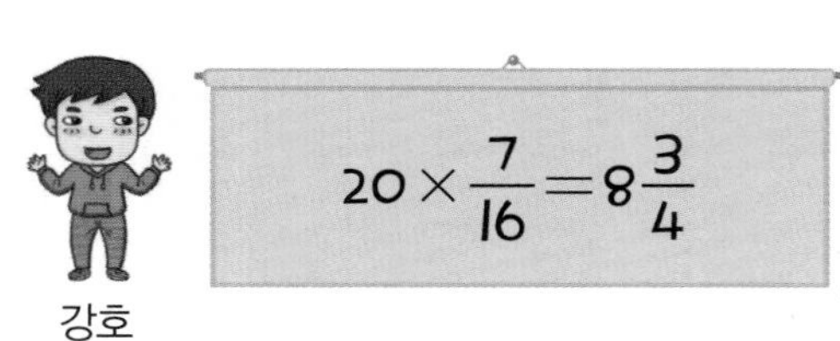

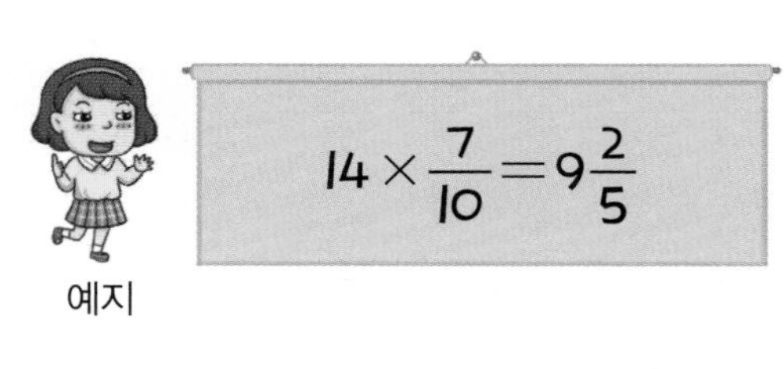

(　　　　　　　　)

11 현수는 길이가 27 m인 끈의 $\frac{2}{9}$를 사용했습니다. 사용한 끈의 길이는 몇 m일까요?

(　　　　　　　　)

개념 4 (자연수)×(대분수)

12 계산 결과가 7보다 큰 식에 ○표, 7보다 작은 식에 △표 하세요.

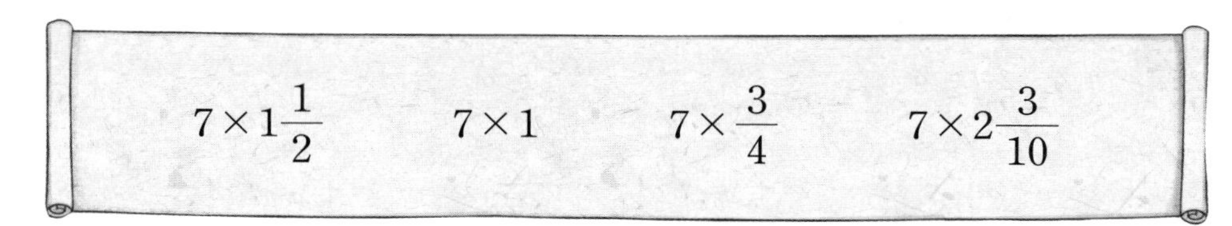

13 가장 큰 수와 가장 작은 수의 곱을 구해 보세요.

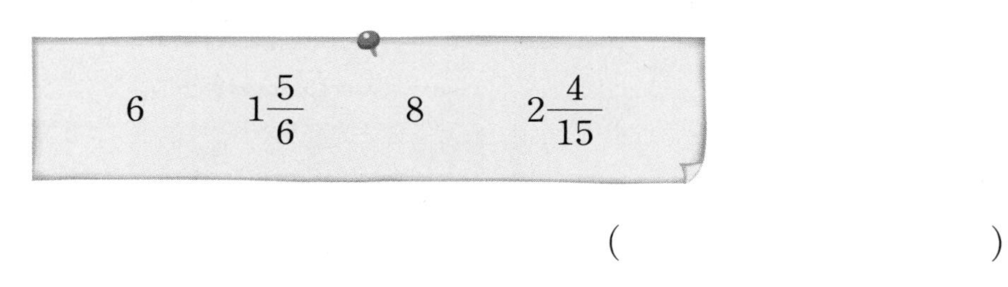

(   )

14 계산 결과를 비교하여 ○ 안에 >, =, <를 알맞게 써넣으세요.

$14\times3\frac{2}{7}$ ○ $15\times2\frac{4}{5}$

15 귤 한 상자의 무게는 3 kg입니다. 사과 한 상자가 귤 한 상자 무게의 $5\frac{1}{6}$배일 때 사과 한 상자의 무게는 몇 kg일까요?

(   )

개념 5 진분수의 곱셈

16 빈 곳에 알맞은 수를 써넣으세요.

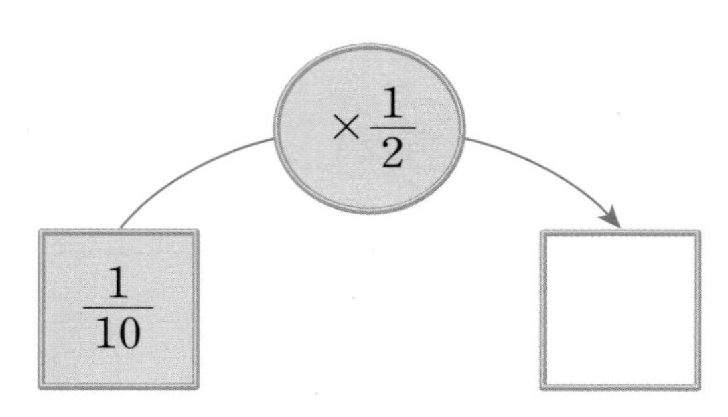

17 빈칸에 알맞은 수를 써넣으세요.

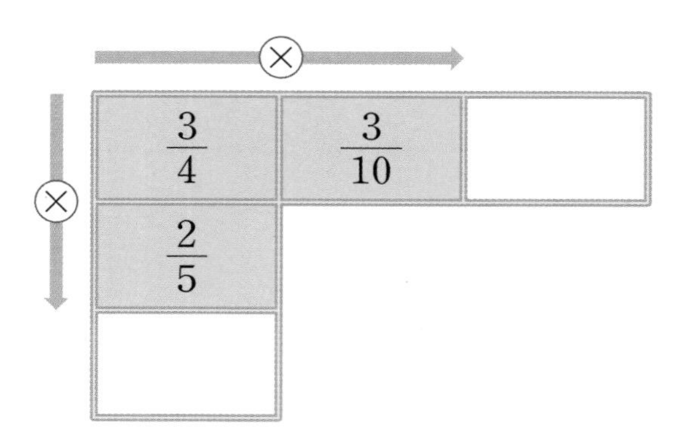

18 계산 결과가 작은 것부터 차례로 기호를 써 보세요.

㉠ $\frac{1}{3}\times\frac{1}{6}$	㉡ $\frac{1}{5}\times\frac{1}{5}$	㉢ $\frac{1}{9}\times\frac{1}{4}$	㉣ $\frac{1}{2}\times\frac{1}{7}$

( )

19 진영이네 반 학생의 $\frac{5}{8}$는 남학생이고, 남학생의 $\frac{5}{9}$는 안경을 썼습니다. 진영이네 반에서 안경을 쓴 남학생은 전체 학생의 얼마일까요?

( )

개념 6 (대분수)×(대분수)

20 (분수)×(분수)의 계산 방법을 이용하여 계산해 보세요.

(1) $5 \times \frac{7}{12}$ ____________________

(2) $2\frac{1}{3} \times 4$ ____________________

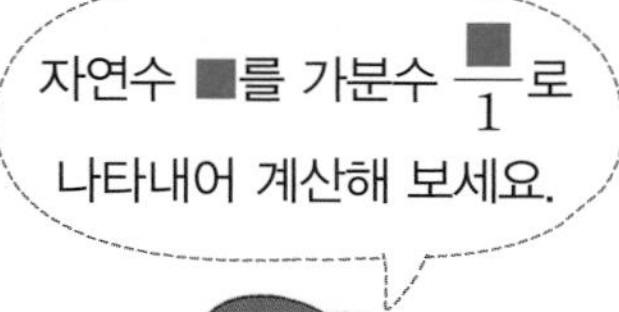

자연수 ■를 가분수 $\frac{■}{1}$로
나타내어 계산해 보세요.

21 빈 곳에 두 수의 곱을 써넣으세요.

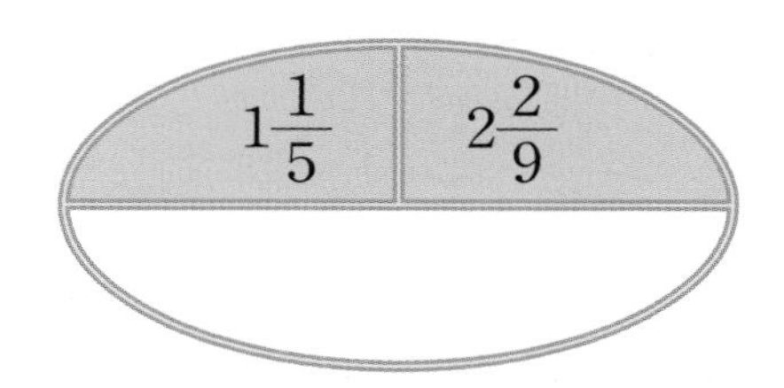

22  와 같이 계산해 보세요.

보기

$$\frac{3}{5} \times 1\frac{1}{3} \times 2\frac{1}{4} = \frac{\overset{1}{\cancel{3}}}{5} \times \frac{\overset{1}{\cancel{4}}}{\underset{1}{\cancel{3}}} \times \frac{9}{\underset{1}{\cancel{4}}} = \frac{9}{5} = 1\frac{4}{5}$$

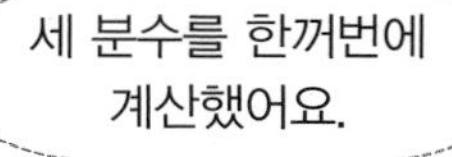

$2\frac{2}{7} \times 1\frac{2}{5} \times \frac{3}{4}$ ____________________

23 계산 결과를 비교하여 ◯ 안에 >, =, <를 알맞게 써넣으세요.

$1\frac{3}{5} \times 2\frac{5}{8}$ 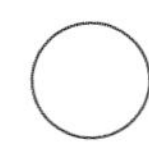 $2\frac{1}{7} \times 2\frac{1}{10}$

3단계 교과서 실력 다지기

★ 잘못된 부분을 찾아 바르게 계산하기

1 다음 계산에서 잘못된 부분을 찾아 바르게 계산해 보세요.

$$2\frac{\overset{1}{\cancel{2}}}{5}\times\frac{3}{\underset{2}{\cancel{4}}}=\frac{11}{5}\times\frac{3}{2}=\frac{33}{10}=3\frac{3}{10}$$

→ $2\frac{2}{5}\times\frac{3}{4}$ ____________________

개념 피드백
- 분수의 곱셈에서 약분을 할 때 분자끼리, 분모끼리 약분하지 않도록 주의합니다.
- 대분수의 곱셈은 대분수를 가분수로 나타낸 후, 약분이 되면 약분하여 계산합니다.

1-1 다음 계산에서 잘못된 부분을 찾아 바르게 계산해 보세요.

$$\overset{4}{\cancel{12}}\times2\frac{7}{\underset{3}{\cancel{9}}}=4\times2\frac{7}{3}=4\times\frac{13}{3}=\frac{52}{3}=17\frac{1}{3}$$

→ $12\times2\frac{7}{9}$ ____________________

1-2 다음 계산에서 잘못된 부분을 찾아 이유를 쓰고, 바르게 계산한 값을 구해 보세요.

$$2\frac{7}{\underset{3}{\cancel{9}}}\times3\frac{\overset{1}{\cancel{3}}}{5}=\frac{13}{3}\times\frac{16}{5}=\frac{208}{15}=13\frac{13}{15}$$

이유 ____________________

____

(　　　　　　　　)

도형의 넓이 구하기

2 직사각형의 넓이는 몇 cm^2인지 구해 보세요.

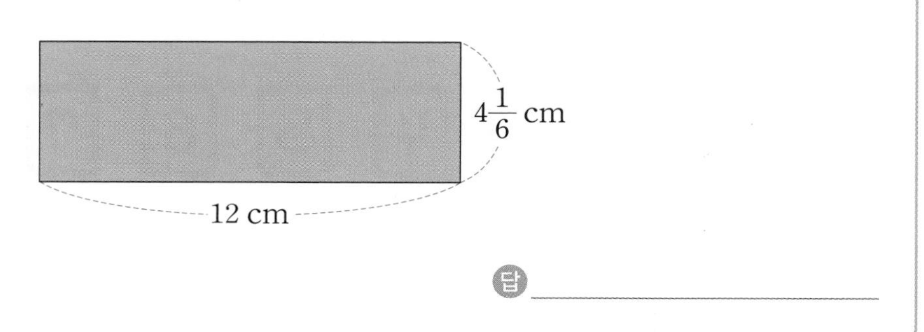

답 ________________

개념 피드백
• (직사각형의 넓이)=(가로)×(세로)이므로 식을 바르게 세우고 분수의 곱셈을 합니다.

2-1 평행사변형의 넓이는 몇 cm^2인지 구해 보세요.

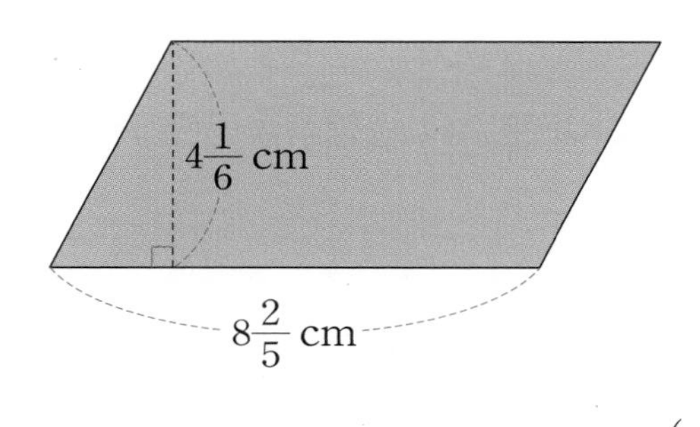

(   )

2-2 직사각형 ㉮와 평행사변형 ㉯가 있습니다. ㉮와 ㉯ 중 어느 것이 더 넓은지 구해 보세요.

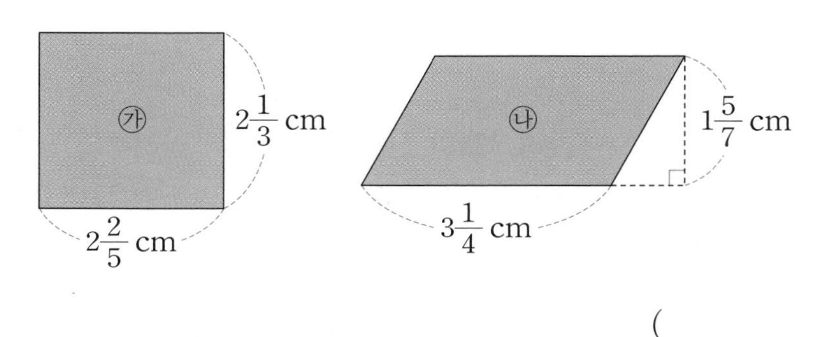

(   )

★ 수 카드로 분수의 곱셈식 만들고 계산하기

3 수 카드 중 2장을 사용하여 분수의 곱셈식을 만들려고 합니다. 계산 결과가 가장 작은 식을 만들고, 계산해 보세요.

$\frac{1}{\square} \times \frac{1}{\square}$

식 ____________________

답 ____________________

개념 피드백

- 분자에 작은 수가 들어갈수록, 분모에 큰 수가 들어갈수록 계산 결과가 작아집니다.
- 분자에 큰 수가 들어갈수록, 분모에 작은 수가 들어갈수록 계산 결과가 커집니다.

3-1 수 카드 중 2장을 사용하여 분수의 곱셈식을 만들려고 합니다. 계산 결과가 가장 큰 식을 만들고, 계산해 보세요.

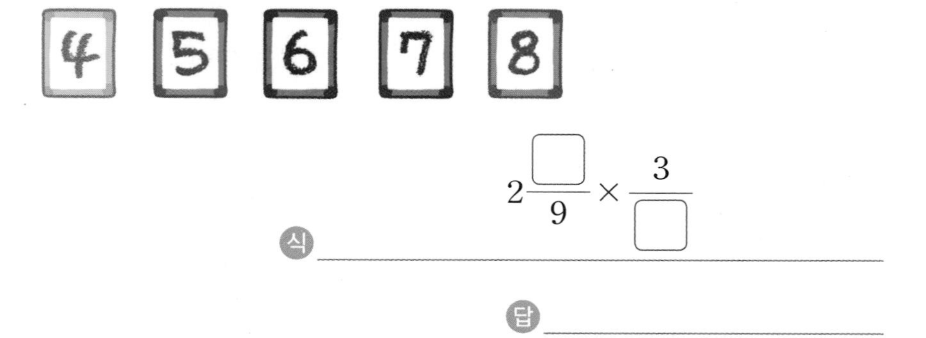

3-2 수 카드를 한 번씩만 사용하여 3개의 진분수를 만들어 곱하려고 합니다. 계산 결과가 가장 작을 때는 얼마인지 구해 보세요. (단, 분모와 분자에 각각 한 장의 카드만 사용합니다.)

1 2 3 4 5 6

(　　　　　　　　)

□ 안에 들어갈 수 있는 자연수 구하기

4 □ 안에 들어갈 수 있는 자연수를 모두 구해 보세요.

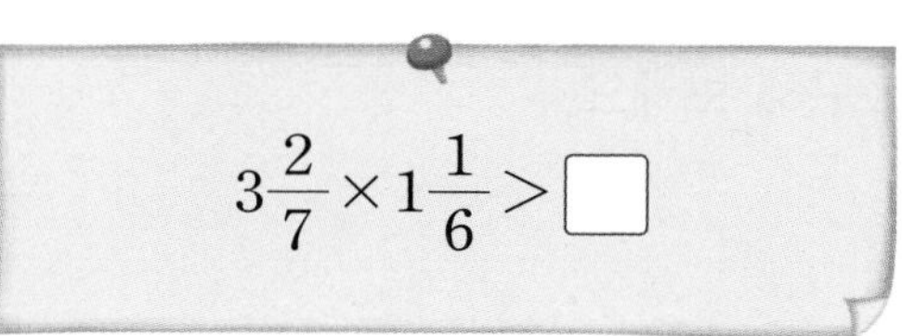

답 ______________________

개념 피드백

• □ 안에 들어갈 수 있는 자연수 구하기

① 분수의 곱셈을 먼저 계산합니다.

② □ 안에 들어갈 수 있는 자연수를 모두 구합니다.

4-1 □ 안에 들어갈 수 있는 가장 큰 자연수를 구해 보세요.

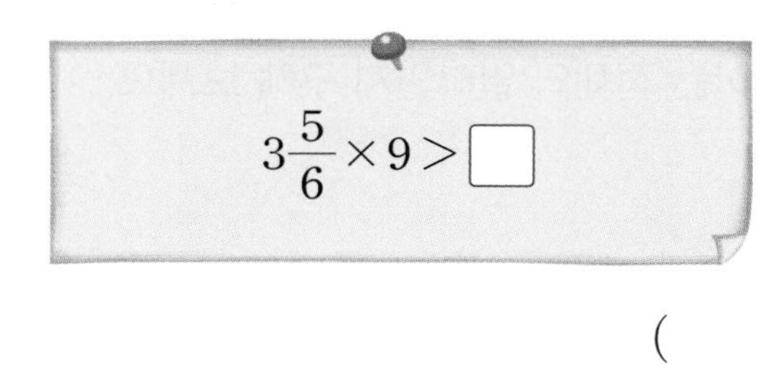

(　　　　　　　　　　)

4-2 1보다 큰 자연수 중에서 □ 안에 들어갈 수 있는 자연수를 모두 구해 보세요.

$$\frac{4}{25}\times\frac{5}{16}<\frac{1}{3}\times\frac{1}{\square}$$

(　　　　　　　　　　)

3주 교과서

★ 전체의 얼마인지 구하기

5 케이크 한 개의 $\frac{3}{10}$은 준수가 먹었고 나머지의 $\frac{5}{8}$는 형이 먹었습니다. 형이 먹은 케이크는 전체의 얼마인지 구해 보세요.

답 ______________

개념 피드백

- 전체의 얼마인지 구하기

① 전체의 $\frac{★}{■}$만큼 먹고 남은 부분은 전체의 $1-\frac{★}{■}=\frac{■-★}{■}$입니다.

② $\frac{●}{■}$의 $\frac{♥}{▲}$는 $\frac{●}{■}\times\frac{♥}{▲}$입니다.

5-1 채소 가게에서 어제는 오이 한 상자의 $\frac{1}{5}$을 팔았고, 오늘은 어제 팔고 난 나머지의 $\frac{3}{8}$을 팔았습니다. 오늘 판 오이는 전체의 얼마인지 구해 보세요.

( )

5-2 물 한 병의 $\frac{7}{12}$은 진주가 마셨고, 나머지의 $\frac{3}{4}$은 수인이가 마셨습니다. 수인이가 마신 물은 전체의 얼마인지 구해 보세요.

( )

남은 양 구하기

6 길이가 90 cm인 색 테이프가 있습니다. 가영이는 전체의 $\frac{1}{6}$을 사용했고 영훈이는 나머지의 $\frac{7}{10}$을 사용했습니다. 남은 색 테이프의 길이는 몇 cm인지 구해 보세요.

답 ______________

개념 피드백

- 남은 색 테이프의 길이 구하기

① 두 사람이 사용하고 남은 색 테이프는 전체의 얼마인지 순서대로 구합니다.
② 두 사람이 모두 사용하고 남은 색 테이프는 전체의 얼마인지 분수의 곱셈을 이용하여 구합니다.
③ ②에서 구한 양을 이용하여 남은 색 테이프의 길이를 구합니다.

6-1 넓이가 360 m^2인 밭이 있습니다. 전체의 $\frac{1}{3}$에는 배추를 심고, 나머지 밭의 $\frac{3}{8}$에는 무를 심었습니다. 그리고 남은 밭에는 고추를 심었을 때, 고추를 심은 밭의 넓이는 몇 m^2인지 구해 보세요.

( )

6-2 동진이는 어제 동화책 한 권의 $\frac{1}{4}$을 읽었고, 오늘은 어제 읽고 난 나머지의 $\frac{1}{6}$을 읽었습니다. 동화책 한 권이 96쪽일 때, 어제와 오늘 읽고 남은 양은 몇 쪽인지 구해 보세요.

( )

Test

교과서 서술형 연습

서술형 연습 **1**

오른쪽 3장의 수 카드를 각각 한 번씩만 사용하여 만들 수 있는 가장 큰 대분수와 가장 작은 대분수의 곱은 얼마인지 구해 보세요.

3
4
5

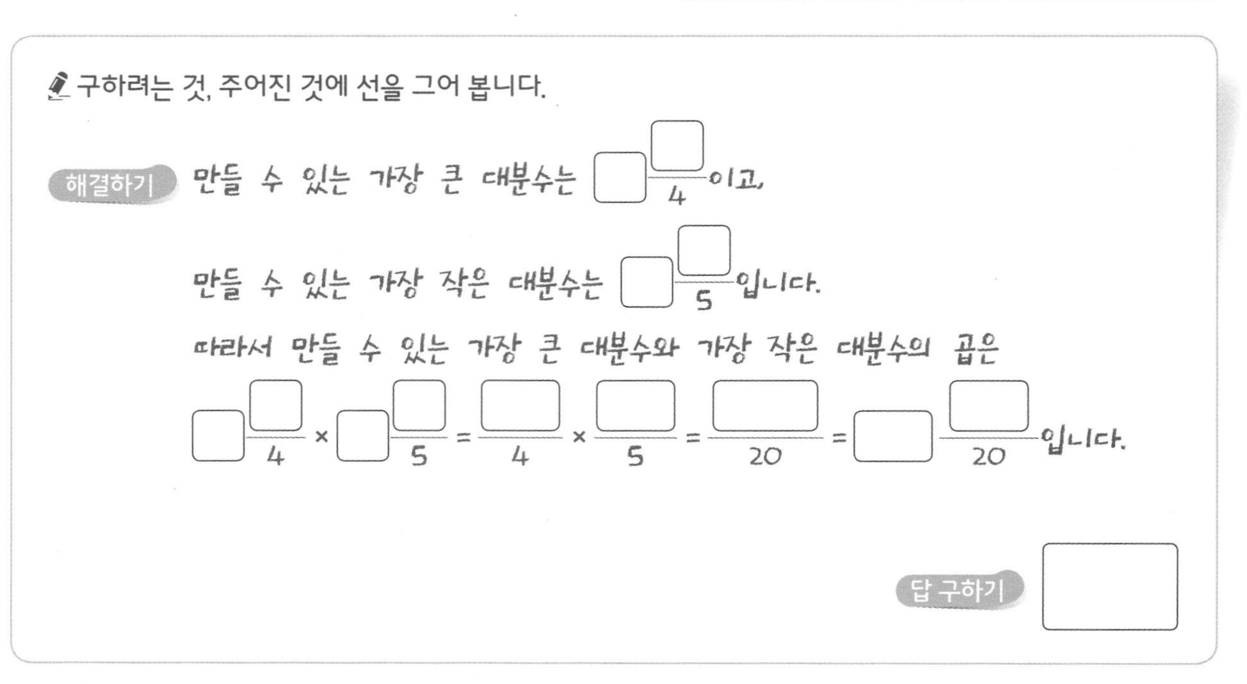
구하려는 것, 주어진 것에 선을 그어 봅니다.
해결하기 만들 수 있는 가장 큰 대분수는 □□/4이고,
만들 수 있는 가장 작은 대분수는 □□/5입니다.
따라서 만들 수 있는 가장 큰 대분수와 가장 작은 대분수의 곱은
□□/4 × □□/5 = □/4 × □/5 = □/20 = □□/20입니다.
답 구하기

서술형 실전 **2**

오른쪽 3장의 수 카드를 각각 한 번씩만 사용하여 만들 수 있는 가장 큰 대분수와 가장 작은 대분수의 곱은 얼마인지 구해 보세요.

1 6 7

구하려는 것, 주어진 것에 선을 그어 봅니다.

해결하기

답 구하기

어떤 수에 $2\frac{7}{8}$을 곱해야 할 것을 잘못해서 뺐더니 $\frac{1}{4}$이 되었습니다. 바르게 계산하면 얼마인지 구해 보세요.

구하려는 것, 주어진 것에 선을 그어 봅니다.

해결하기 어떤 수를 □라 하면

$\square - 2\frac{7}{8} = \frac{1}{4}$, $\square = \frac{1}{4} + 2\frac{7}{8} = \frac{\square}{8} + 2\frac{7}{8} = \square\frac{\square}{8} = \square\frac{\square}{\square}$입니다.

따라서 바르게 계산하면

$\square\frac{\square}{\square} \times 2\frac{7}{8} = \frac{\square}{\square} \times \frac{\square}{8} = \frac{\square}{\square} = \square$입니다.

답 구하기 □

어떤 수에 $1\frac{3}{4}$을 곱해야 할 것을 잘못해서 더했더니 $3\frac{5}{6}$가 되었습니다. 바르게 계산하면 얼마인지 구해 보세요.

구하려는 것, 주어진 것에 선을 그어 봅니다.

해결하기

답 구하기

3주 교과서

안전한 돌다리 밟기

준비물 붙임딱지

무서운 도깨비를 피해 도망가려고 합니다. 돌다리 중에서 계산 결과가 5보다 큰 곱셈식이 적힌 돌다리만 밟고 건너면 안전하게 개울가를 건널 수 있습니다. 안전한 돌다리만 찾아 발자국 붙임딱지를 붙여 보세요.

앗!
부서진 돌다리는
밟으면 안 돼!
$2 \times 2\frac{3}{5}$
$\frac{14}{15} \times 3$
$16 \times \frac{3}{10}$
$1\frac{1}{4} \times 3\frac{1}{5}$
$1\frac{5}{6} \times 3$
$2\frac{1}{2} \times 1\frac{1}{3}$
$\frac{1}{9} \times 30$
$\frac{2}{7} \times 14$
$1\frac{1}{2} \times 3\frac{7}{8}$
$4 \times 1\frac{7}{16}$
$1\frac{2}{7} \times 4\frac{2}{3}$
$6\frac{1}{4} \times \frac{7}{10}$
$3\frac{3}{4} \times 1\frac{4}{5}$
탈출!

4주
사고력

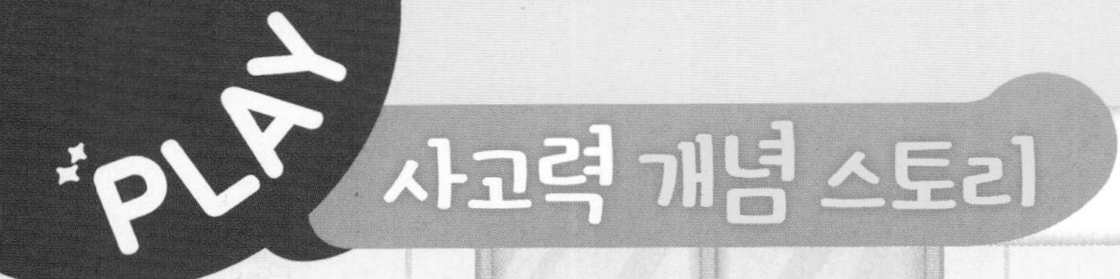

선풍기 날개 완성하기

준비물 붙임딱지

선풍기 공장에서 날개를 조립하면 완성품이 만들어집니다. 날개에 있는 수와 가운데 원 안의 수의 곱이 반대편에 있는 날개의 수가 되도록 날개 붙임딱지를 붙여 보세요. 날개를 완성한 후에는 원하는 둥이 상표도 붙여 보세요.

$2\frac{1}{4}$
$1\frac{1}{3}$
$5\frac{5}{6}$
18
$2\frac{7}{12}$
$\frac{7}{9}$
$3\frac{3}{4}$
$6\frac{2}{5}$
$1\frac{1}{2}$
$\frac{9}{14}$
7
4
$\frac{4}{5}$
3
$1\frac{7}{8}$
5
$5\frac{1}{3}$
$3\frac{1}{4}$

1

4장의 수 카드 중에서 3장을 각각 한 번씩만 사용하여 대분수를 만들려고 합니다. 만들 수 있는 가장 큰 대분수와 가장 작은 대분수의 곱을 구해 보세요.

3 4 5 7

① 알맞은 말에 ○표 하고, 수 카드의 빈 곳에 알맞은 수를 써넣으세요.

가장 큰 대분수를 만들려면 자연수 부분에 가장 (큰 , 작은) 수를 놓아야 하므로

만들 수 있는 대분수는 $\square\frac{3}{4}$, $\square\frac{3}{\square}$, $\square\frac{\square}{\square}$입니다.

② 만들 수 있는 가장 큰 대분수를 구해 보세요.

( )

③ 알맞은 말에 ○표 하고, 수 카드의 빈 곳에 알맞은 수를 써넣으세요.

가장 작은 대분수를 만들려면 자연수 부분에 가장 (큰 , 작은) 수를 놓아야 하므로 만들 수 있는 대분수는 $\square\frac{4}{5}$, $\square\frac{4}{\square}$, $\square\frac{\square}{\square}$입니다.

④ 만들 수 있는 가장 작은 대분수를 구해 보세요.

( )

⑤ 만들 수 있는 가장 큰 대분수와 가장 작은 대분수의 곱을 구해 보세요.

( )

2

그림과 같이 길이가 $\frac{5}{8}$ m인 색 테이프 6장을 $\frac{1}{9}$ m씩 겹쳐지게 이어 붙였습니다. 이어 붙인 색 테이프의 전체 길이는 몇 m인지 구해 보세요.

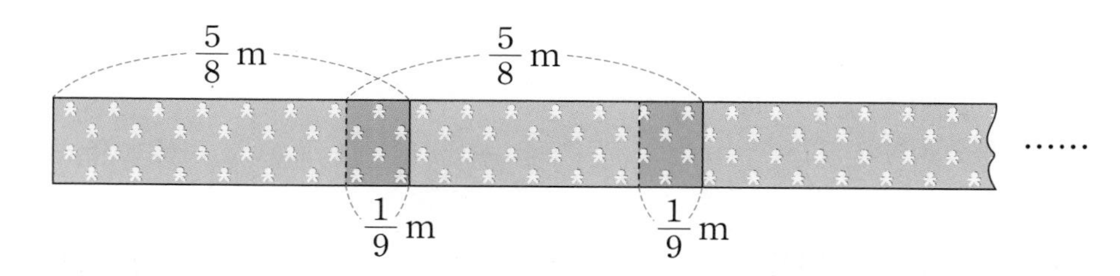

1. 길이가 $\frac{5}{8}$ m인 색 테이프 6장의 길이의 합은 몇 m일까요?

( )

2. 색 테이프 6장을 이어 붙였을 때 겹쳐진 부분은 몇 군데일까요?

( )

3. 겹쳐진 부분의 길이의 합은 몇 m일까요?

( )

4. 이어 붙인 색 테이프의 전체 길이는 몇 m일까요?

( )

3 **하루에 2분 20초씩 빨라지는 시계가 있습니다. 이 시계를 오늘 낮 12시에 정확히 맞추어 놓았다면 12일 후 낮 12시에 이 시계가 가리키는 시각은 오후 몇 시 몇 분인지 구해 보세요.**

어쩌지?
12일 후 낮 12시에
축구 시합이 있는데…….
정확한 시각을 알려면
하루에 몇 분씩
빨라지는지 알아봐.

1. 이 시계는 하루에 몇 분씩 빨라지는지 기약분수로 나타내어 보세요.

( )

2. 12일 후에는 몇 분이 빨라질까요?

( )

3. 12일 후 낮 12시에 이 시계가 가리키는 시각은 오후 몇 시 몇 분일까요?

( )

정답과 풀이 p.21

4주 사고력

4

윤석이는 $4\ \mathrm{m}$ 높이에서 공을 떨어뜨렸습니다. 이 공은 땅에 닿은 후 떨어진 높이의 $\frac{5}{8}$ 만큼 다시 튀어 오른다고 합니다. 공이 땅에 세 번 닿았다가 튀어 올랐을 때의 높이는 몇 m인지 구해 보세요.

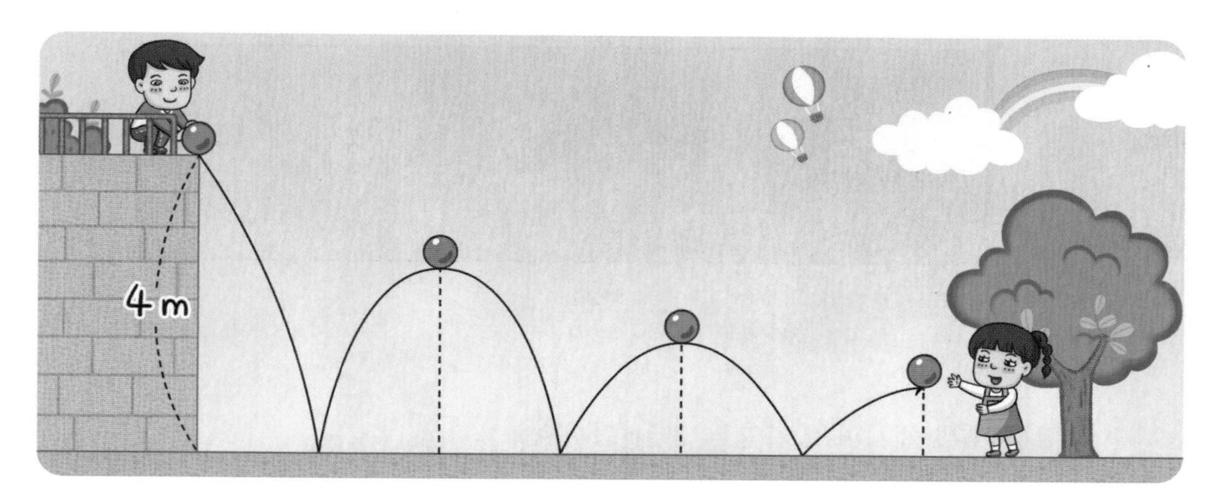

1. 공이 땅에 한 번 닿았다가 튀어 올랐을 때의 높이는 몇 m일까요?

   (   )

2. 공이 땅에 두 번 닿았다가 튀어 올랐을 때의 높이는 몇 m일까요?

   (   )

3. 공이 땅에 세 번 닿았다가 튀어 올랐을 때의 높이는 몇 m일까요?

   (   )

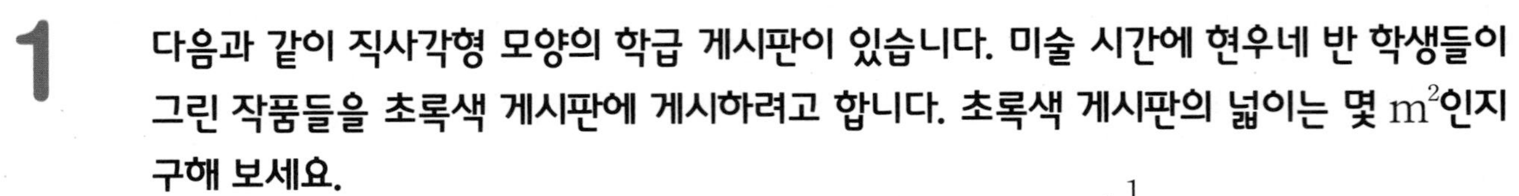

1 **다음과 같이 직사각형 모양의 학급 게시판이 있습니다. 미술 시간에 현우네 반 학생들이 그린 작품들을 초록색 게시판에 게시하려고 합니다. 초록색 게시판의 넓이는 몇 m^2인지 구해 보세요.**

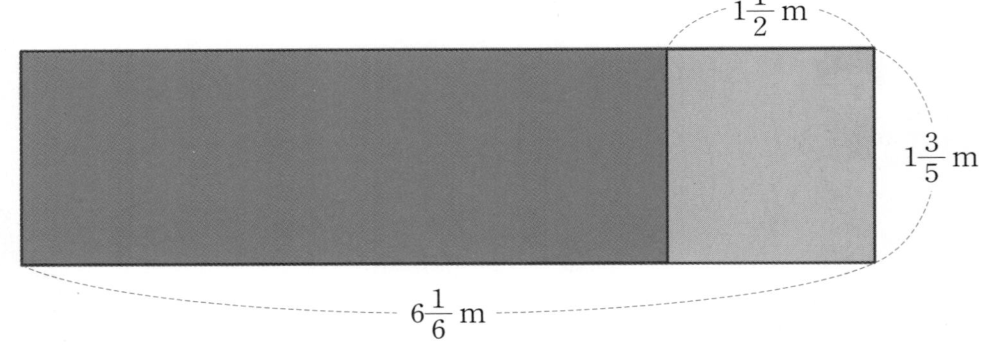

❶ 초록색 게시판의 가로는 몇 m일까요?

( )

❷ 초록색 게시판의 세로는 몇 m일까요?

( )

❸ 초록색 게시판의 넓이는 몇 m^2일까요?

( )

정답과 풀이 p.22

2 사다리 타는 방법을 이용하여 사다리 타기를 하고 연결된 두 수의 곱을 빈 곳에 써넣으세요.

<사다리 타는 방법>

- 출발점에서 아래로 내려가다가 만나는 다리는 반드시 옆으로 건너야 합니다.
- 아래와 옆으로만 이동할 수 있습니다.

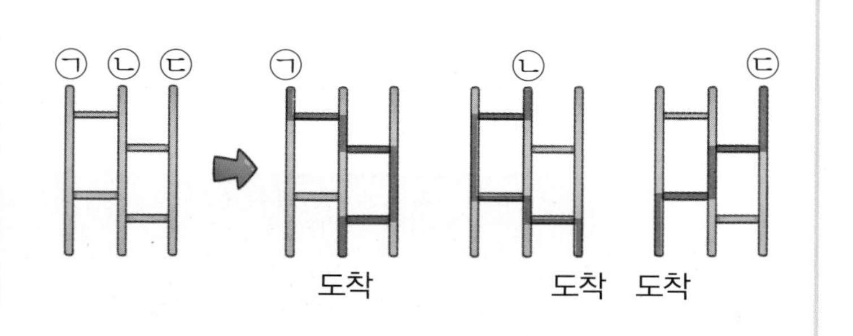

❶

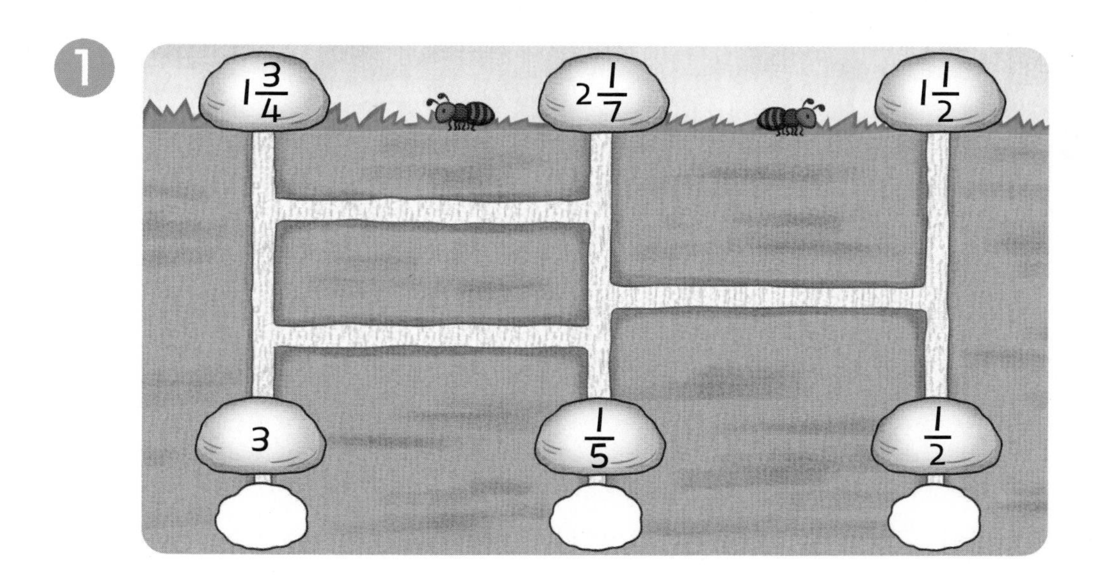

❷

3

가★나를 다음과 같이 약속할 때 15★3은 얼마인지 구해 보세요.

약속

$$가★나=\frac{가}{가+나}\times\frac{나}{가-나}$$

$$8★2=\frac{8}{8+2}\times\frac{2}{8-2}=\frac{\overset{4}{\cancel{8}}}{\underset{5}{\cancel{10}}}\times\frac{\overset{1}{\cancel{2}}}{\underset{3}{\cancel{6}}}=\frac{4}{15}$$

① 가=15, 나=3일 때 $\frac{가}{가+나}$와 $\frac{나}{가-나}$의 값을 각각 구해 보세요.

$\frac{가}{가+나}$ (　　　　　　　　), $\frac{나}{가-나}$ (　　　　　　　　)

② ①에서 구한 값을 이용하여 주어진 곱셈식을 완성해 보세요.

$$\frac{가}{가+나}\times\frac{나}{가-나}=\frac{\square}{\square}\times\frac{\square}{\square}=\frac{\square}{\square}$$

③ 15★3을 약속된 식으로 나타내고 계산해 보세요.

$$15★3=\frac{15}{\square+\square}\times\frac{3}{\square-\square}=\frac{15}{\square}\times\frac{3}{\square}=\frac{\square}{\square}$$

기약분수

4

민호와 영재가 자전거를 타고 마주 보고 달립니다. 민호는 ㉮에서 출발하여 한 시간에 $11\frac{1}{4}$ km를 일정한 빠르기로 달리고, 영재는 ㉯에서 출발하여 한 시간에 $10\frac{3}{7}$ km를 일정한 빠르기로 달립니다. 두 사람이 동시에 출발하여 2시간 20분 후에 만났다면 ㉮와 ㉯ 사이의 거리는 몇 km인지 구해 보세요.

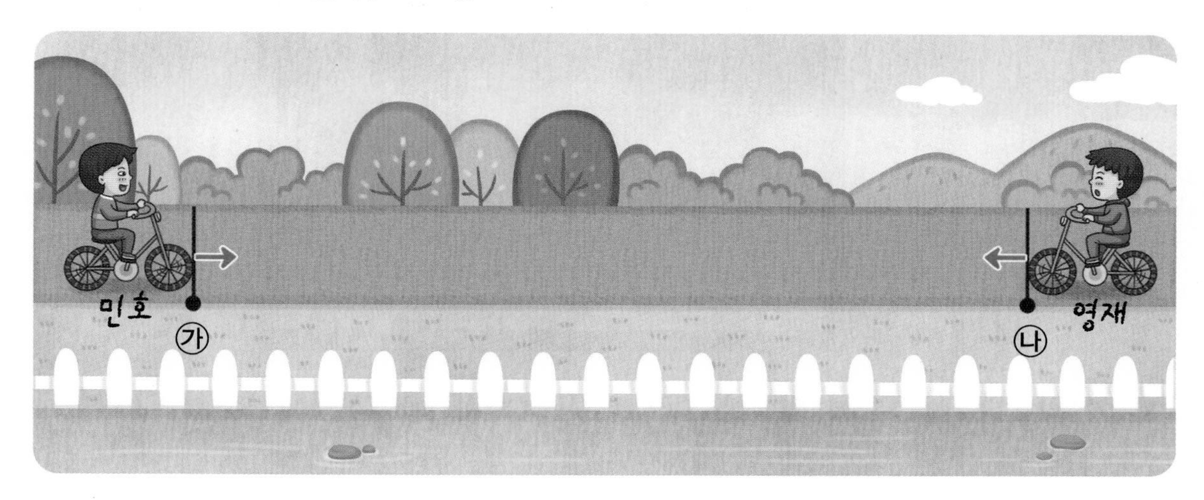

1. 2시간 20분은 몇 시간인지 기약분수로 나타내어 보세요.

( )

2. 민호가 자전거로 2시간 20분 동안 달린 거리는 몇 km일까요?

( )

3. 영재가 자전거로 2시간 20분 동안 달린 거리는 몇 km일까요?

( )

4. ㉮와 ㉯ 사이의 거리는 몇 km일까요?

( )

3단계 교과 사고력 완성

평가 영역 □개념 이해력 ☑개념 응용력 □창의력 □문제 해결력

1 그림과 같은 직사각형 모양의 화단이 있습니다. 꽃을 심은 부분의 넓이는 몇 m^2인지 구해 보세요.

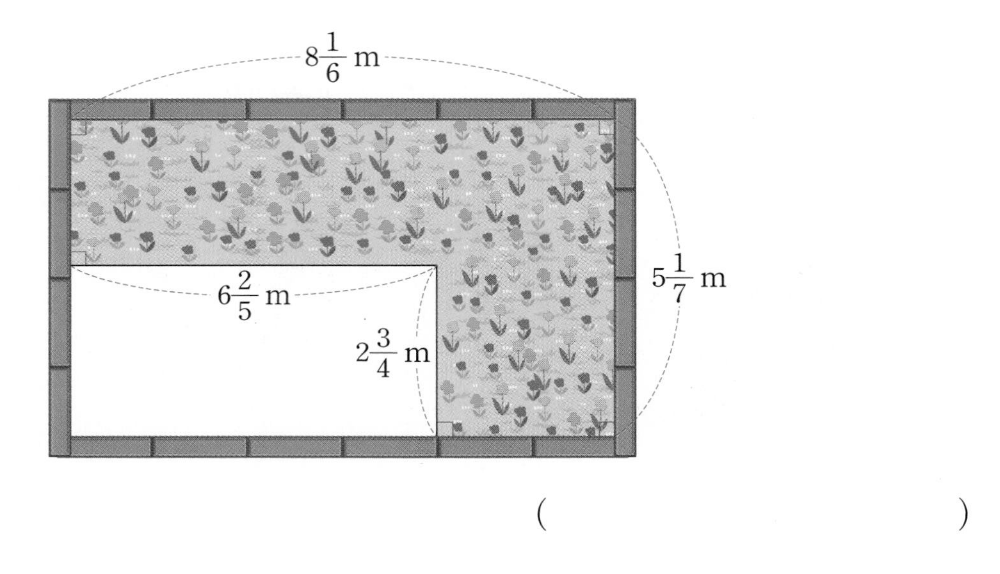

(　　　　　　　　　　)

평가 영역 □개념 이해력 ☑개념 응용력 □창의력 □문제 해결력

2 그림과 같은 모양의 화단이 있습니다. 화단의 넓이는 몇 m^2인지 구해 보세요.

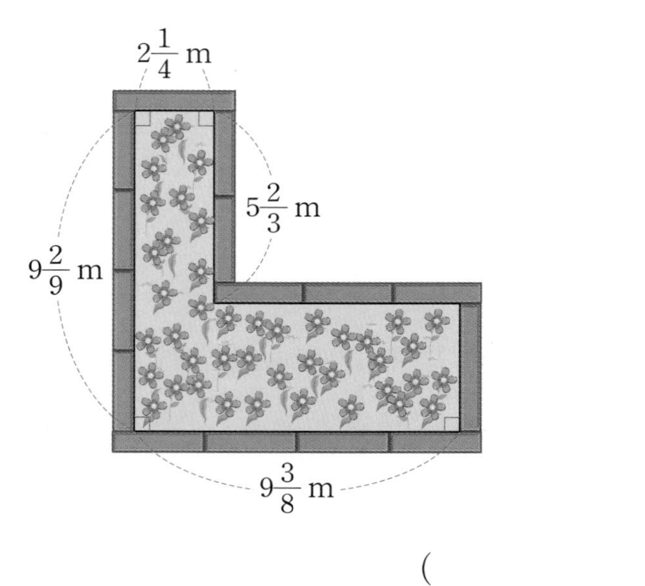

(　　　　　　　　　　)

평가 영역 □개념 이해력 □개념 응용력 □창의력 ☑문제 해결력

3

현서네 집에서 마트까지의 거리는 $2\frac{1}{7}$ km이고 마트에서 우체국까지의 거리는 $5\frac{1}{4}$ km입니다. 서점은 현서네 집에서부터 우체국까지의 거리의 $\frac{2}{3}$인 지점에 있다고 합니다. 서점에서 우체국까지의 거리는 몇 km인지 구해 보세요.

너희 집에서 서점까지의 거리는 얼마나 돼?

서점은 집에서 우체국까지의 거리의 $\frac{2}{3}$인 지점에 있어.

준기 현서

(　　　　　　　　　　)

평가 영역 □개념 이해력 □개념 응용력 □창의력 ☑문제 해결력

4

하루에 $3\frac{1}{3}$분씩 빨라지는 시계가 있습니다. 이 시계를 오늘 오전 9시에 정확히 맞추어 놓았다면 일주일 후 오전 9시에 이 시계가 가리키는 시각은 오전 몇 시 몇 분 몇 초일까요?

(　　　　　　　　　　)

맞은 개수

1

그림을 보고 □ 안에 알맞은 수를 써넣으세요.

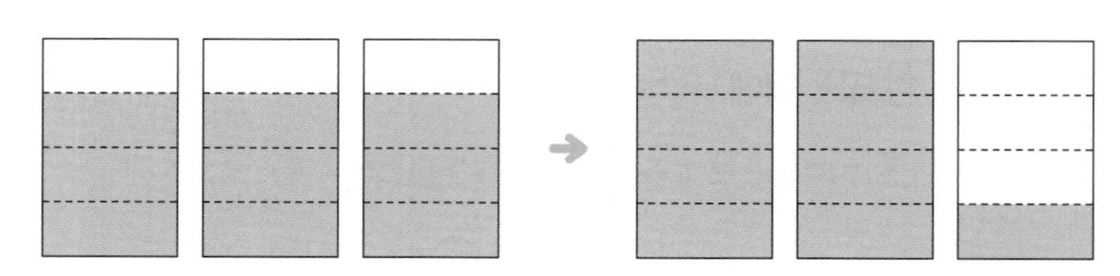

$$\frac{3}{4}\times3=\frac{3}{4}+\frac{3}{4}+\frac{3}{4}=\frac{3\times\square}{4}=\frac{\square}{4}=\square\frac{\square}{\square}$$

2

보기 와 같이 계산해 보세요.

보기

$$1\frac{5}{8}\times2=\frac{13}{\not{8}_{4}}\times\not{2}^{1}=\frac{13}{4}=3\frac{1}{4}$$

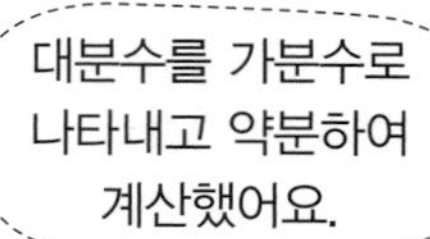
대분수를 가분수로
나타내고 약분하여
계산했어요.

$4\frac{7}{12}\times45$ ______________________

3

빈 곳에 알맞은 분수를 써넣으세요.

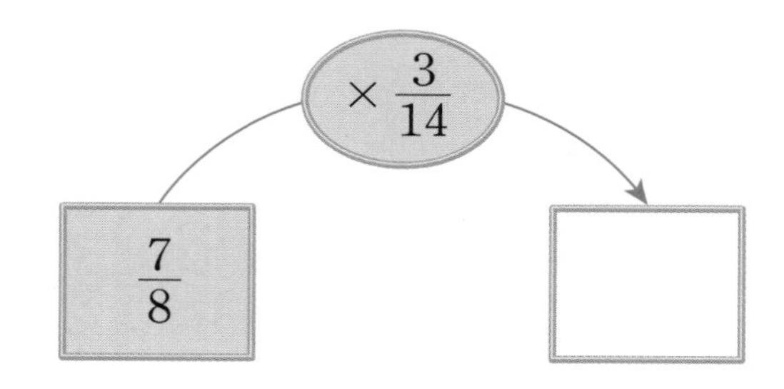
$\times\frac{3}{14}$
$\frac{7}{8}$

4

세 분수의 곱을 구해 보세요.

$\frac{3}{4}$ $\frac{7}{10}$ $\frac{5}{9}$

( )

5 계산 결과가 5보다 큰 식에 ○표, 5보다 작은 식에 △표 하세요.

$5\times\frac{1}{4}$　　$5\times\frac{3}{2}$　　5×1　　$5\times2\frac{2}{7}$

6 두 곱의 차는 얼마인지 구해 보세요.

(　　　　　　　　)

7 한 변의 길이가 $3\frac{5}{8}$ cm인 정육각형의 둘레는 몇 cm인지 구해 보세요.

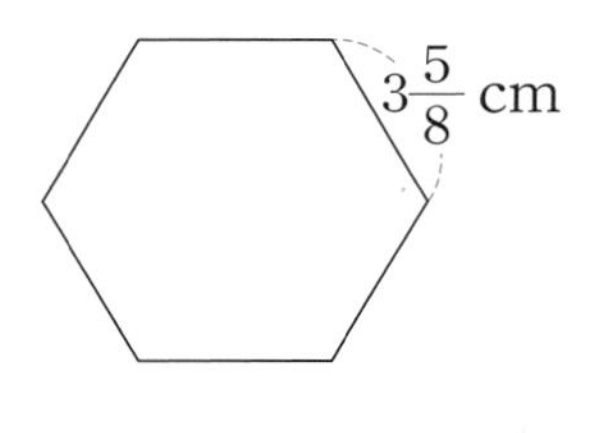

(　　　　　　　　)

8 직사각형의 넓이는 몇 m^2인지 구해 보세요.

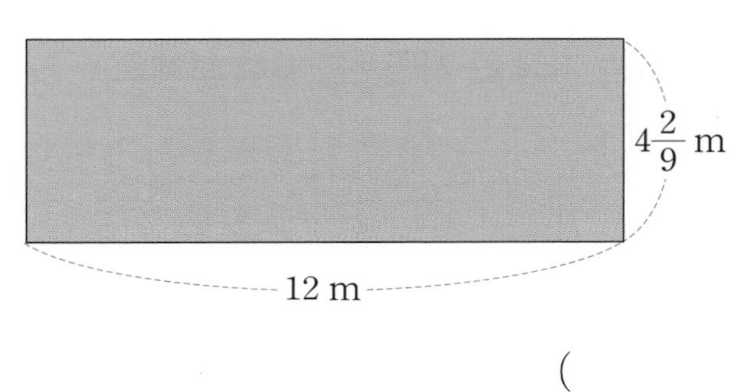

(　　　　　　　　)

4주 평가

9 계산 결과가 큰 것부터 차례로 기호를 써 보세요.

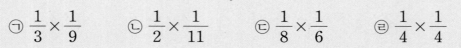

㉠ $\frac{1}{3}\times\frac{1}{9}$ ㉡ $\frac{1}{2}\times\frac{1}{11}$ ㉢ $\frac{1}{8}\times\frac{1}{6}$ ㉣ $\frac{1}{4}\times\frac{1}{4}$

( )

10 □ 안에 들어갈 수 있는 자연수를 모두 구해 보세요.

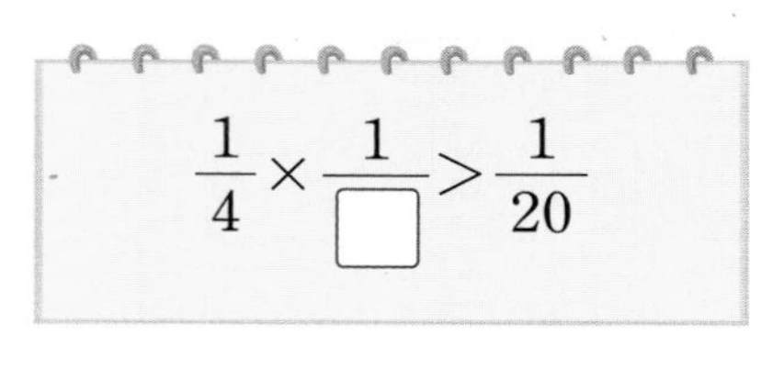

$\frac{1}{4}\times\frac{1}{\square}>\frac{1}{20}$

( )

11 계산 결과를 비교하여 ◯ 안에 $>$, $=$, $<$를 알맞게 써넣으세요.

$4\frac{1}{11}\times1\frac{8}{15}$ 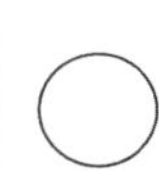 $2\frac{3}{5}\times2\frac{3}{4}$

12 □ 안에 들어갈 수 있는 가장 큰 자연수를 구해 보세요.

$8\frac{1}{2}\times\frac{4}{5}>\square$

( )

13 다음 그림은 초콜릿을 똑같이 10조각으로 나눈 것 중에서 먹고 남은 양을 나타낸 것입니다. 남은 초콜릿의 길이는 몇 cm인지 구해 보세요.

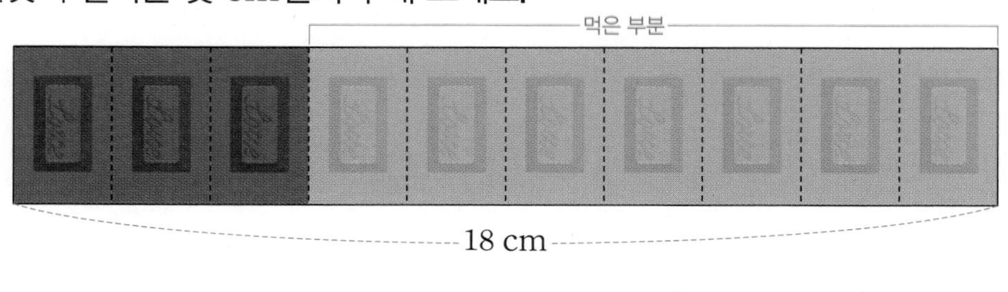

( )

14 3장의 수 카드를 각각 한 번씩만 사용하여 만들 수 있는 가장 큰 대분수와 가장 작은 대분수의 곱은 얼마인지 구해 보세요.

( )

15 호준이의 몸무게는 $48\frac{1}{8}$ kg이고 아버지의 몸무게는 호준이 몸무게의 $1\frac{2}{5}$배입니다. 아버지의 몸무게는 몇 kg일까요?

( )

16 어떤 수에 $2\frac{2}{3}$를 곱해야 할 것을 잘못하여 뺐더니 $1\frac{5}{6}$가 되었습니다. 바르게 계산하면 얼마인지 구해 보세요.

( )

17 떨어진 높이의 $\frac{2}{3}$만큼 다시 튀어 오르는 공을 6 m 높이에서 떨어뜨렸습니다. 이 공이 땅에 두 번 닿았다가 튀어 올랐을 때의 높이는 몇 m인지 구해 보세요.

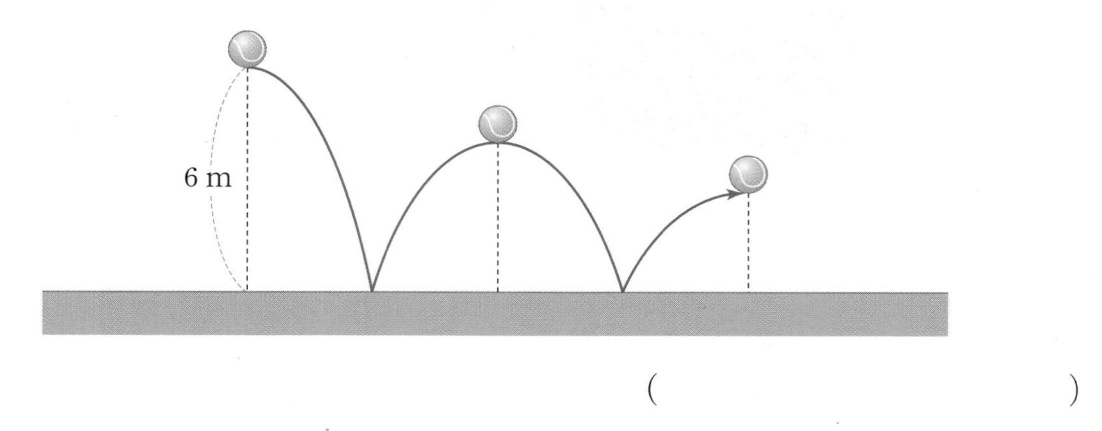

( )

18 경훈이는 한 시간에 $4\frac{2}{5}\text{ km}$를 걷습니다. 같은 빠르기로 1시간 20분 동안 걷는다면 경훈이가 걸은 거리는 몇 km인지 구해 보세요.

( )

19 그림과 같이 길이가 $\frac{6}{7}\text{ m}$인 색 테이프 10장을 $\frac{1}{6}\text{ m}$씩 겹쳐지게 이어 붙였습니다. 이어 붙인 색 테이프의 전체 길이는 몇 m인지 구해 보세요.

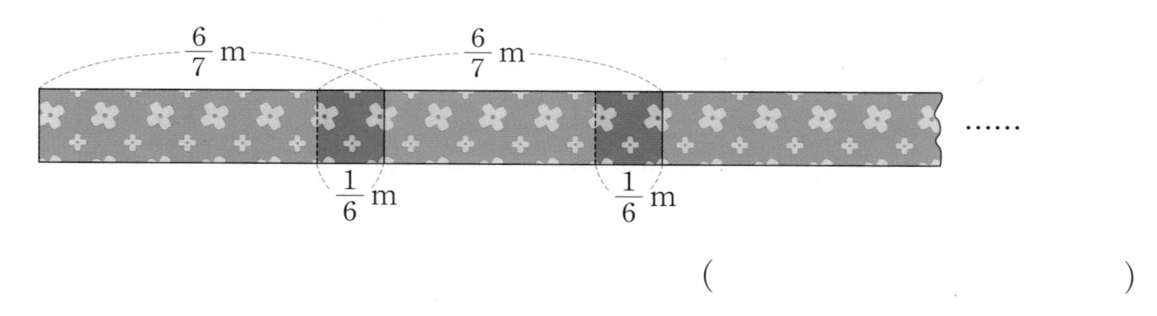

( )

특강 창의·융합 사고력

정답과 풀이 p.24

1 지효는 가로가 60 cm인 태극기를 그렸습니다. 태극기의 각 부분의 길이를 구해 보세요.

태극기에서 흰색 바탕은 밝음, 순수, 평화를 사랑하는 우리의 민족성을 상징하고, 태극 문양은 국민을 나타내며 음(파랑)과 양(빨강)의 조화를 상징합니다. 또한 네 귀퉁이의 4괘에서 건은 동쪽·하늘·봄을, 리는 남쪽·태양·가을을, 감은 북쪽·달·겨울을, 곤은 서쪽·땅·여름을 상징합니다.

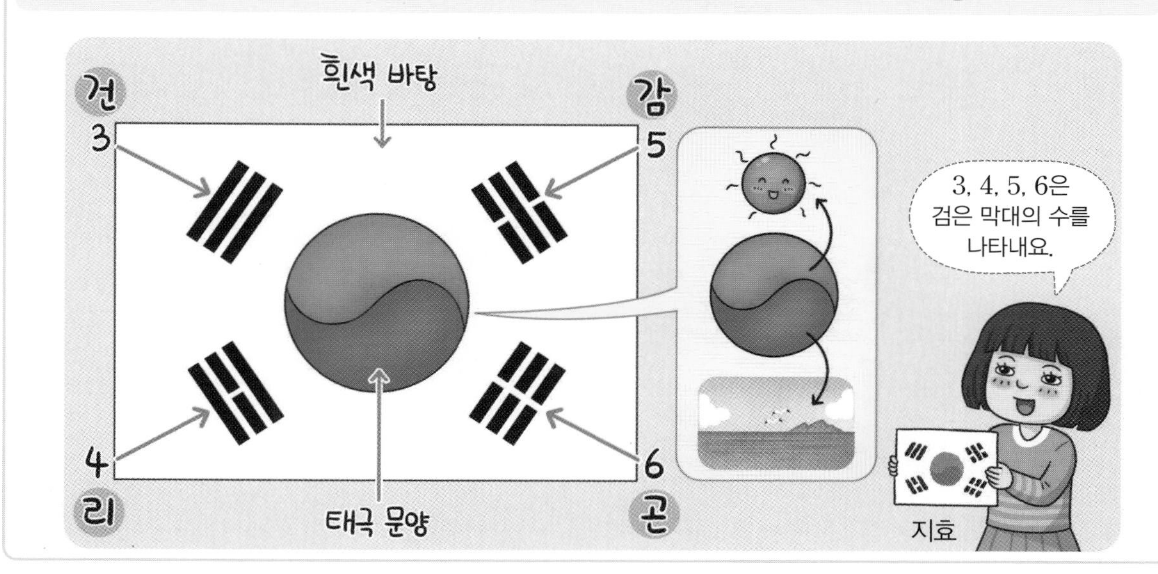

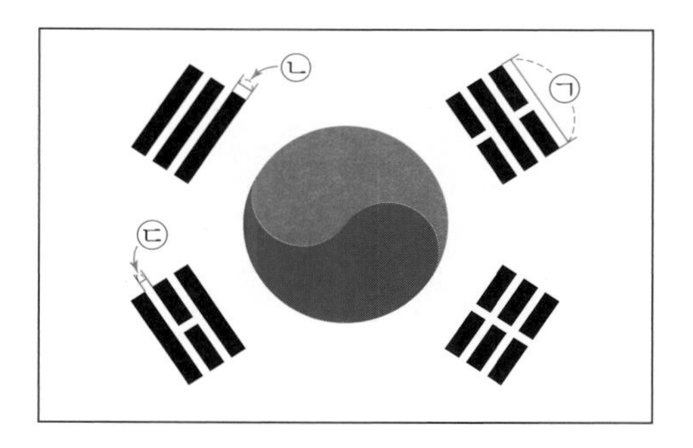

㉠: 세로의 $\frac{1}{4}$입니다.

㉡: ㉠의 길이의 $\frac{1}{6}$입니다.

㉢: ㉡의 길이의 $\frac{1}{2}$입니다.

(1) 태극기의 세로는 가로의 $\frac{2}{3}$입니다. 태극기의 세로는 몇 cm일까요?

( )

(2) ㉠, ㉡, ㉢의 길이는 각각 몇 cm일까요?

㉠ ( ), ㉡ ( ), ㉢ ( )

(3) 태극원의 지름은 ㉢의 길이의 24배입니다. 태극원의 지름은 몇 cm일까요?

( )

Memo

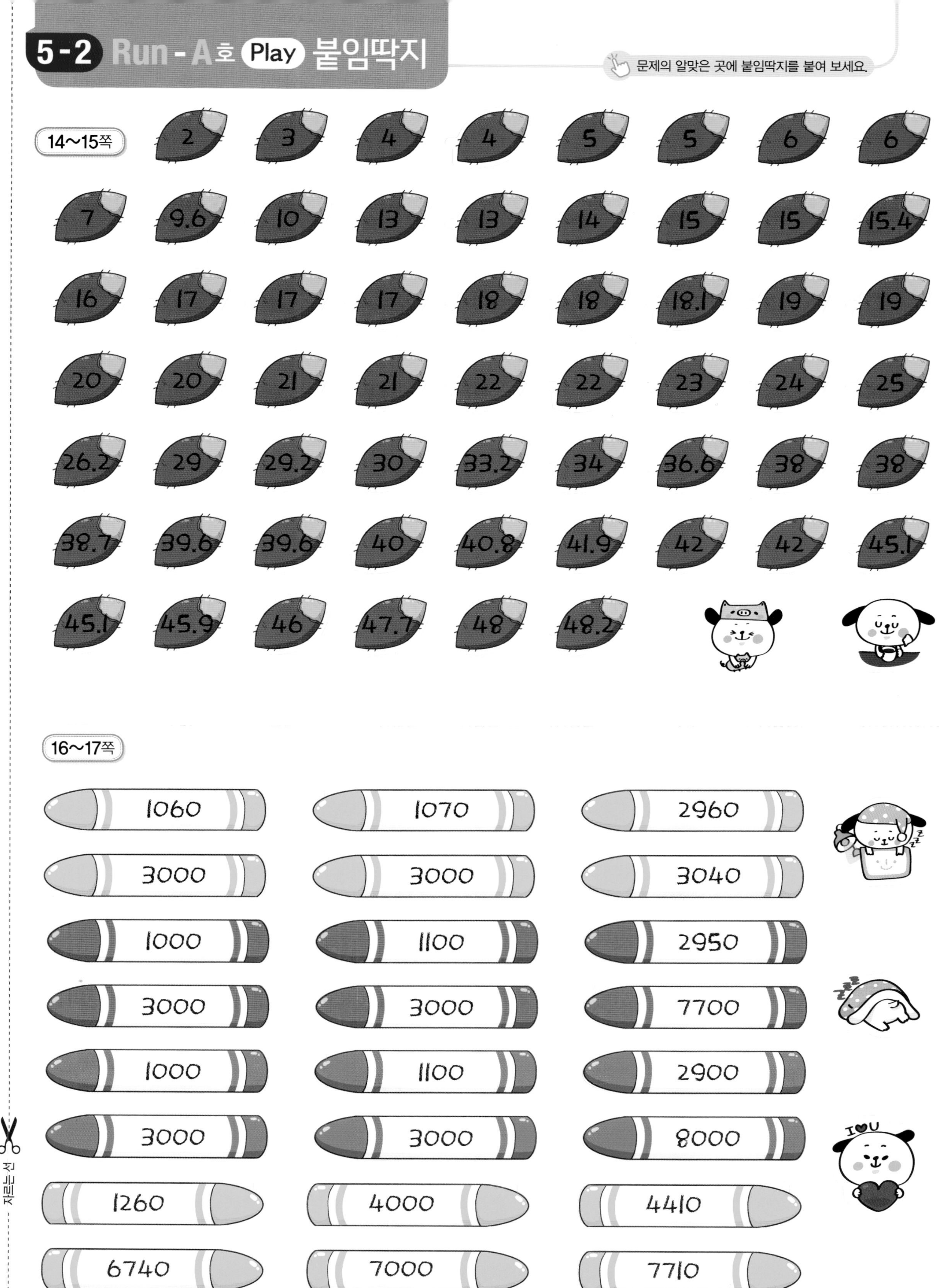
5-2 Run-A호 Play 붙임딱지
문제의 알맞은 곳에 붙임딱지를 붙여 보세요.
14~15쪽
2
3
4
4
5
5
6
6
7
9.6
10
13
13
14
15
15
15.4
16
17
17
17
18
18
18.1
19
19
20
20
21
21
22
22
23
24
25
26.2
29
29.2
30
33.2
34
36.6
38
38
38.7
39.6
39.6
40
40.8
41.9
42
42
45.1
45.1
45.9
46
47.7
48
48.2
16~17쪽
1060
1070
2960
3000
3000
3040
1000
1100
2950
3000
3000
7700
1000
1100
2900
3000
3000
8000
1260
4000
4410
6740
7000
7710
I♥U
자르는 선

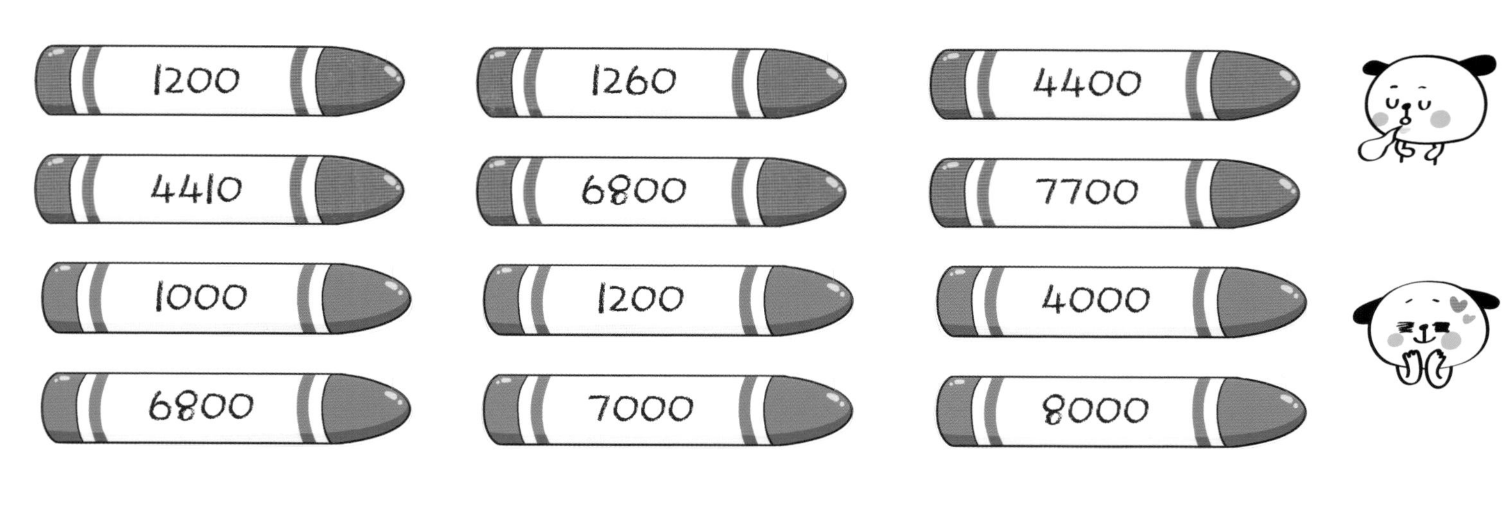
1200
1260
4400
4410
6800
7700
1000
1200
4000
6800
7000
8000

32~33쪽

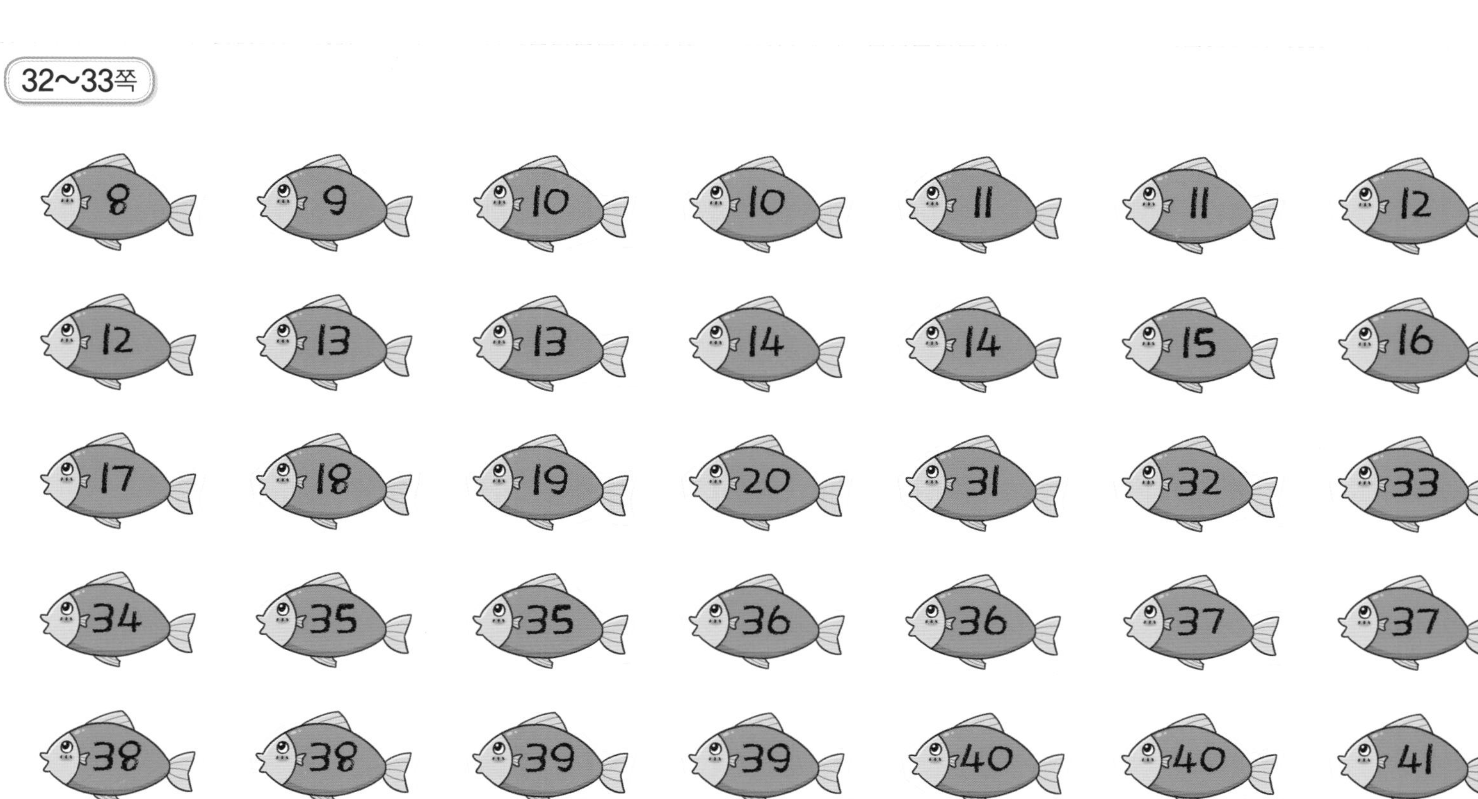
8
9
10
10
11
11
12
12
13
13
14
14
15
16
17
18
19
20
31
32
33
34
35
35
36
36
37
37
38
38
39
39
40
40
41
42
43
44
45
46
47
48

34쪽

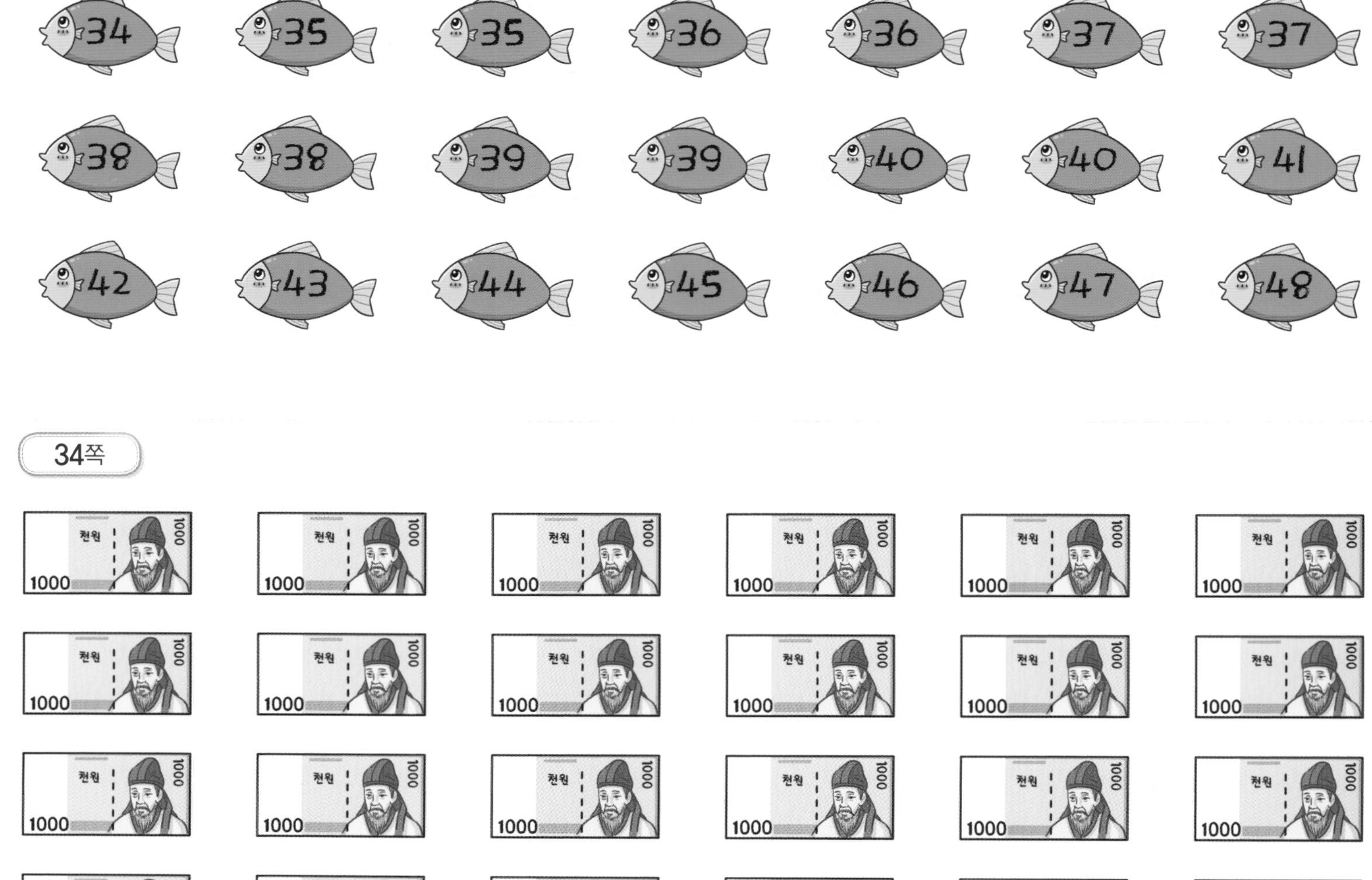
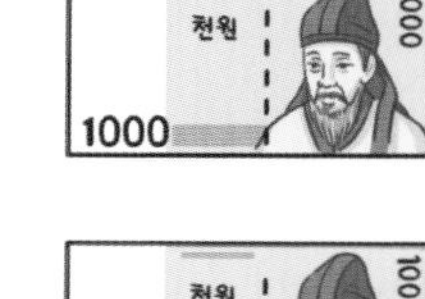

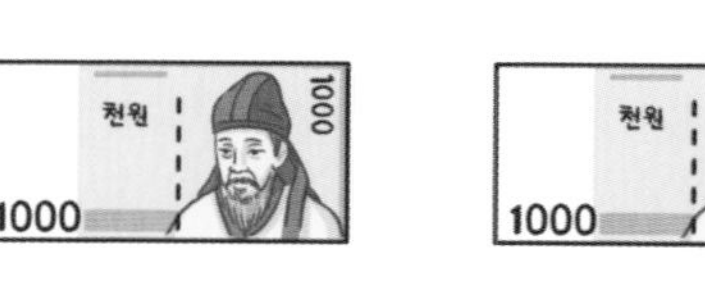

자르는 선

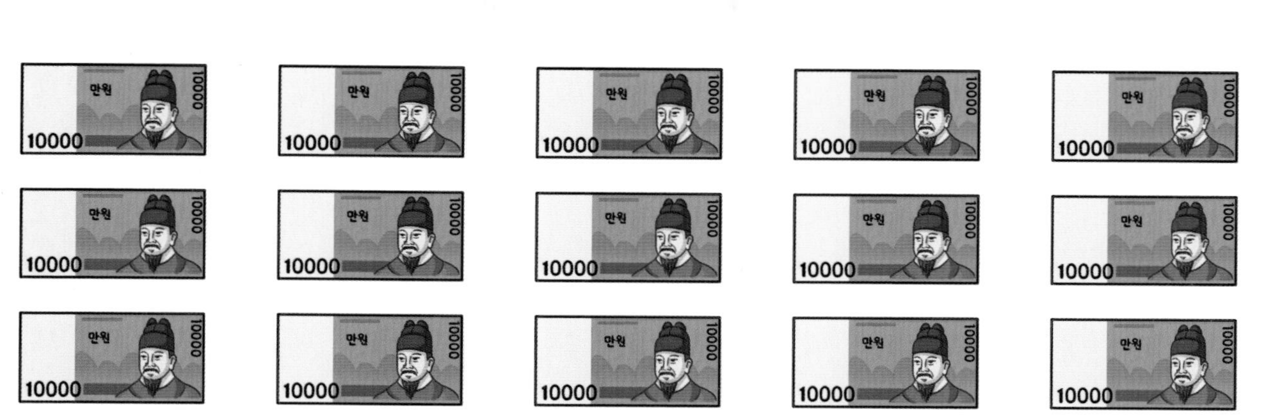

35쪽

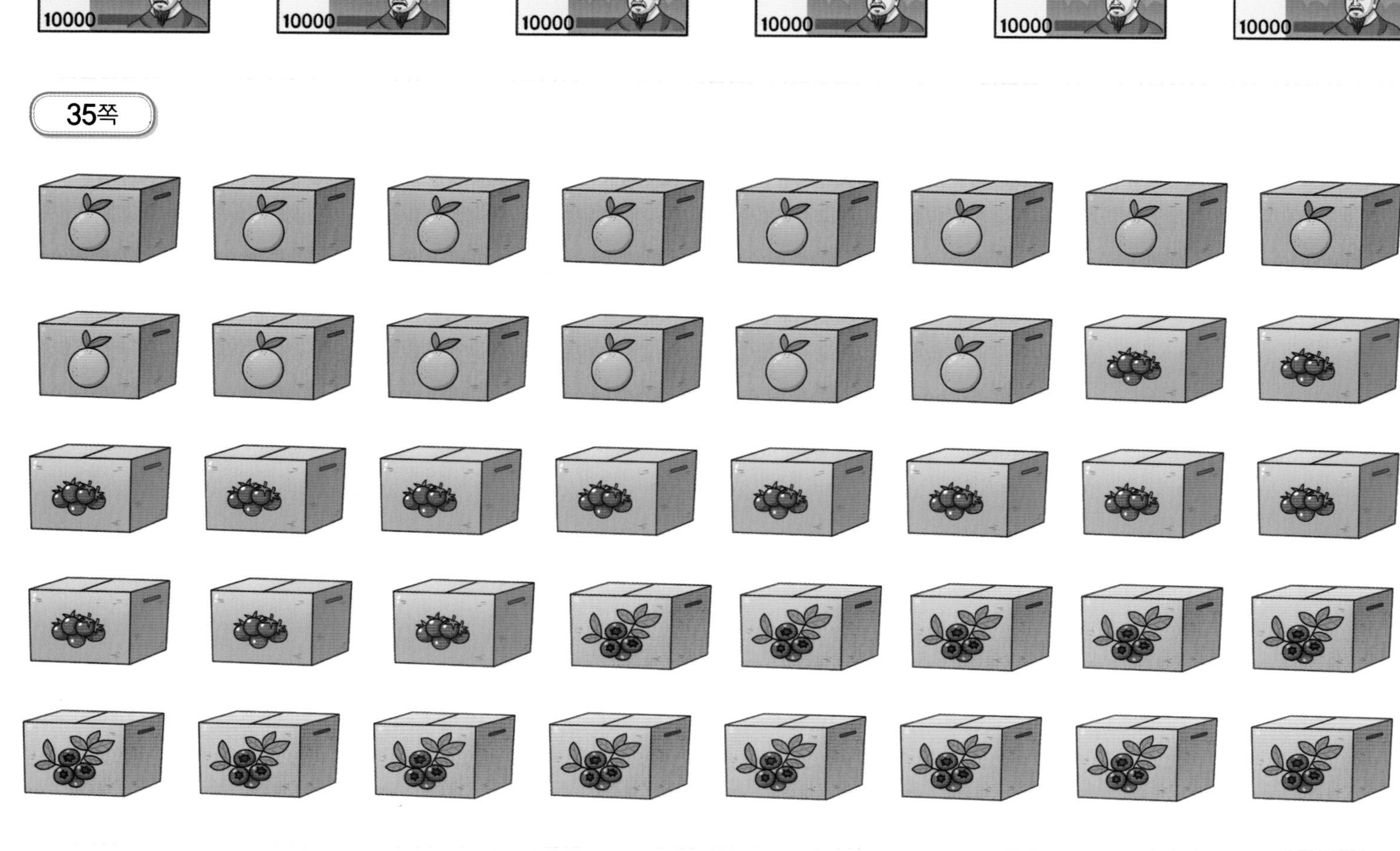

62~63쪽

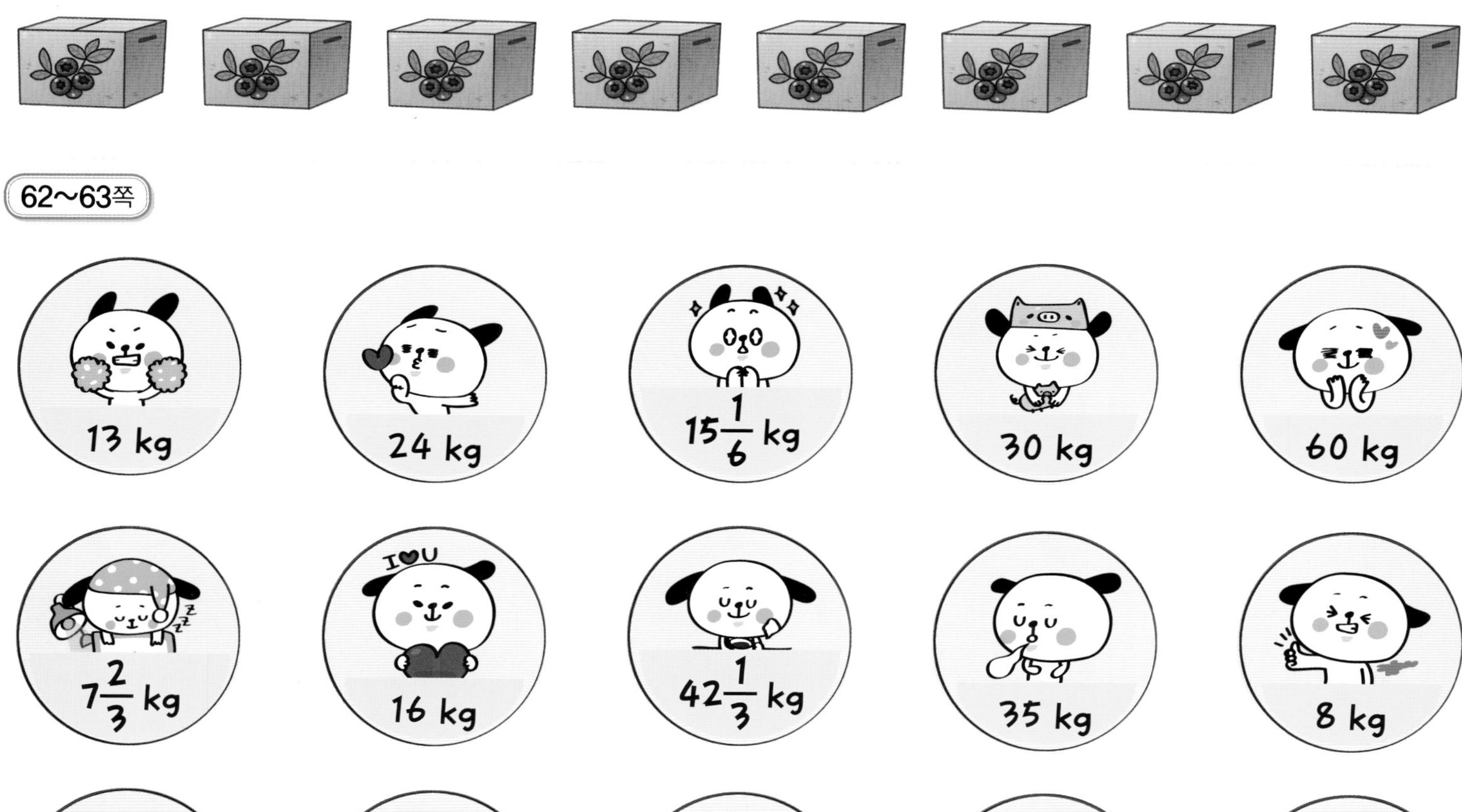

자르는 선

64~65쪽

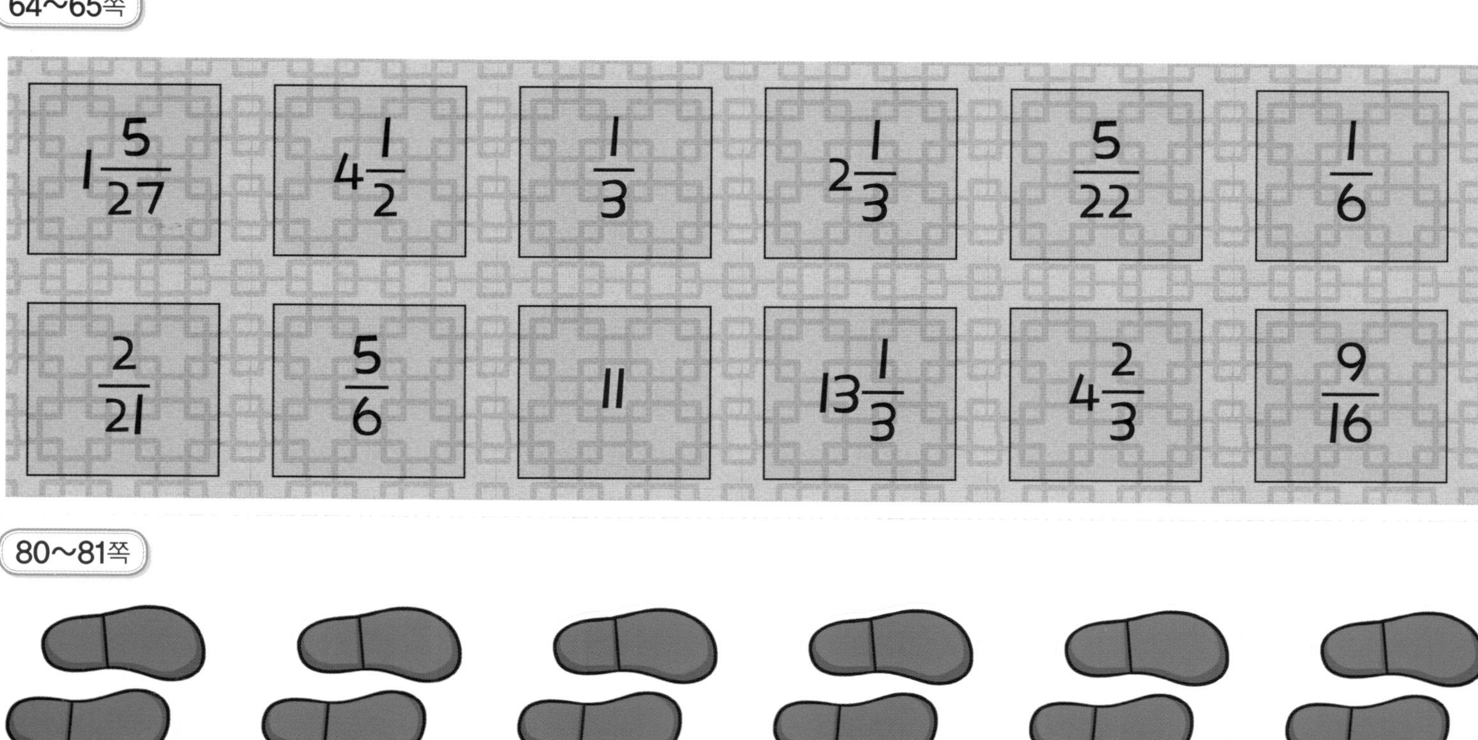

80~81쪽

82~83쪽

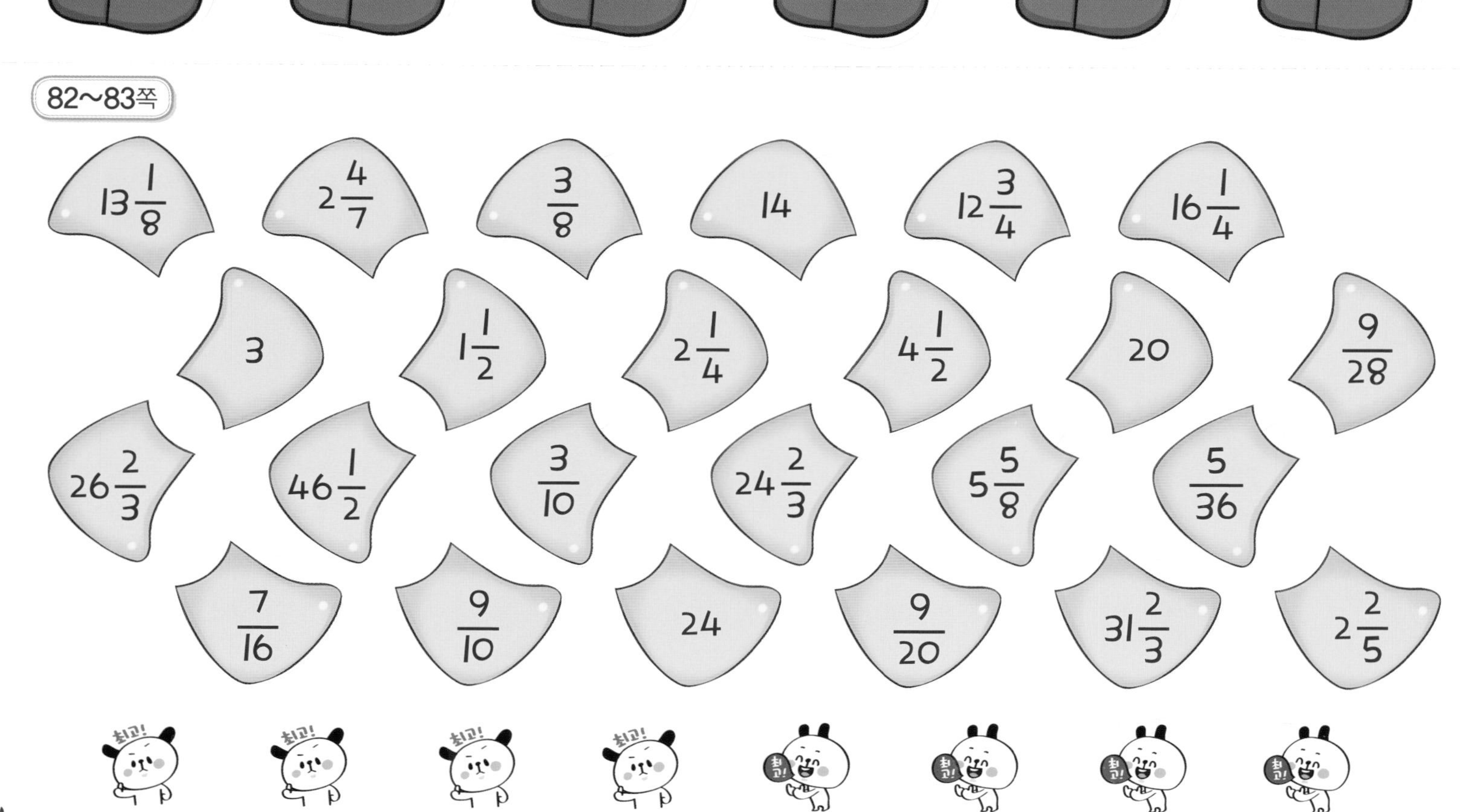

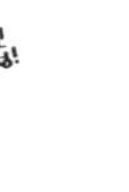

Go!
매쓰

GO!

사고력 중심

교과서 GO! 사고력 GO!

정답과 풀이

수학 5-2

열심히
풀었으니까,
한 번 맞춰 볼까?

1 수의 범위와 어림하기

일상 생활에서 수의 어림하기

우리는 일상 생활에서 어림한 값을 많이 이용합니다.
어떤 물건의 길이는 약 몇 cm일까? 어떤 물건의 무게는 약 몇 kg일까?
어떤 물건의 수는 약 몇 개일까? 등 다양하게 이용되고 있어요.
위와 같이 '약 ~쯤이다.'라고 어림하여 말하는 것을 근삿값이라고 합니다.
그럼 근삿값은 어떨 때 이용하는지 알아봅시다.

〈시우와 진호의 키 재기〉

160.3 cm
159.8 cm
둘 다 160 cm구나.
제가 더 큰데 왜 둘 다 160 cm예요?

키를 재어 주시는 선생님께서는 왜 시우와 진호의 키를 모두 160 cm라고 하신 걸까요?
그 이유는 두 사람의 키를 어림한 근삿값이 같기 때문이에요. 160.3과 159.8을 각각 반올림하여 일의 자리까지 나타내면 160이에요.
이처럼 근삿값을 만들 때에는 올림, 버림, 반올림의 어림 방법을 이용해요.

그럼 지금부터 올림, 버림, 반올림을 어떻게 하는지 알아볼까요?

알맞은 말에 ○표 하세요.

3.8 kg 4.1 kg

강아지와 고양이 몸무게는 모두 약 (3, ④) kg이라고 어림할 수 있습니다.

물건을 사기 위해서 천 원짜리 지폐가 최소 몇 장 있어야 하는지 알맞은 것을 찾아 선으로 이어 보세요.

370원 — 천 원짜리 지폐 1장
1400원 — 천 원짜리 지폐 2장
3600원 — 천 원짜리 지폐 4장

연필의 길이를 어림해 보세요.

➔ 연필의 길이는 약 (⑧, 9) cm입니다.

1단계 교과서 개념 잡기

개념 1 이상과 이하 알아보기

• 이상 알아보기

70 이상인 수: 70과 **같거나 큰 수** ➔ 70, 71, 73, 75, 75.3……

➔ 경곗값인 70에 ●으로 표시하고 오른쪽으로 선을 긋습니다.

예 1부터 9까지의 자연수 중에서 ⑤ 이상인 수
1 2 3 4 ⑤ 6 7 8 9 (5를 포함합니다.)

■ 이상인 수
➔ ■와 같거나 큰 수
➔ ■를 포함합니다.

• 이하 알아보기

10 이하인 수: 10과 **같거나 작은 수** ➔ 10.0, 9.5, 9.0, 8.7, 6……

➔ 경곗값인 10에 ●으로 표시하고 왼쪽으로 선을 긋습니다.

예 1부터 9까지의 자연수 중에서 ⑤ 이하인 수
1 2 3 4 ⑤ 6 7 8 9 (5를 포함합니다.)

▲ 이하인 수
➔ ▲와 같거나 작은 수
➔ ▲를 포함합니다.

개념 확인 문제

정답과 풀이 p.1

1-1 □ 안에 알맞은 말을 써넣으세요.

25, 26, 27 등과 같이 25와 같거나 큰 수를 25 [이상]인 수라고 합니다.

✤ ■와 같거나 큰 수 ➔ ■ 이상인 수

1-2 62 이하인 수에 모두 △표 하세요.

△60 72 65
△58 80 △62

✤ 62 이하인 수는 62와 같거나 작은 수이므로 60, 58, 62입니다.

1-3 수의 범위를 수직선에 나타내어 보세요.

(1) 38 이상인 수

(2) 50 이하인 수

✤ (1) 38에 ●으로 표시하고 오른쪽으로 선을 긋습니다.
(2) 50에 ●으로 표시하고 왼쪽으로 선을 긋습니다.

1-4 수직선에 나타낸 수의 범위에 맞게 □ 안에 알맞은 말을 써넣으세요.

➔ 15 [이하]인 수

✤ 15와 같거나 작은 수이므로 15 이하인 수입니다.

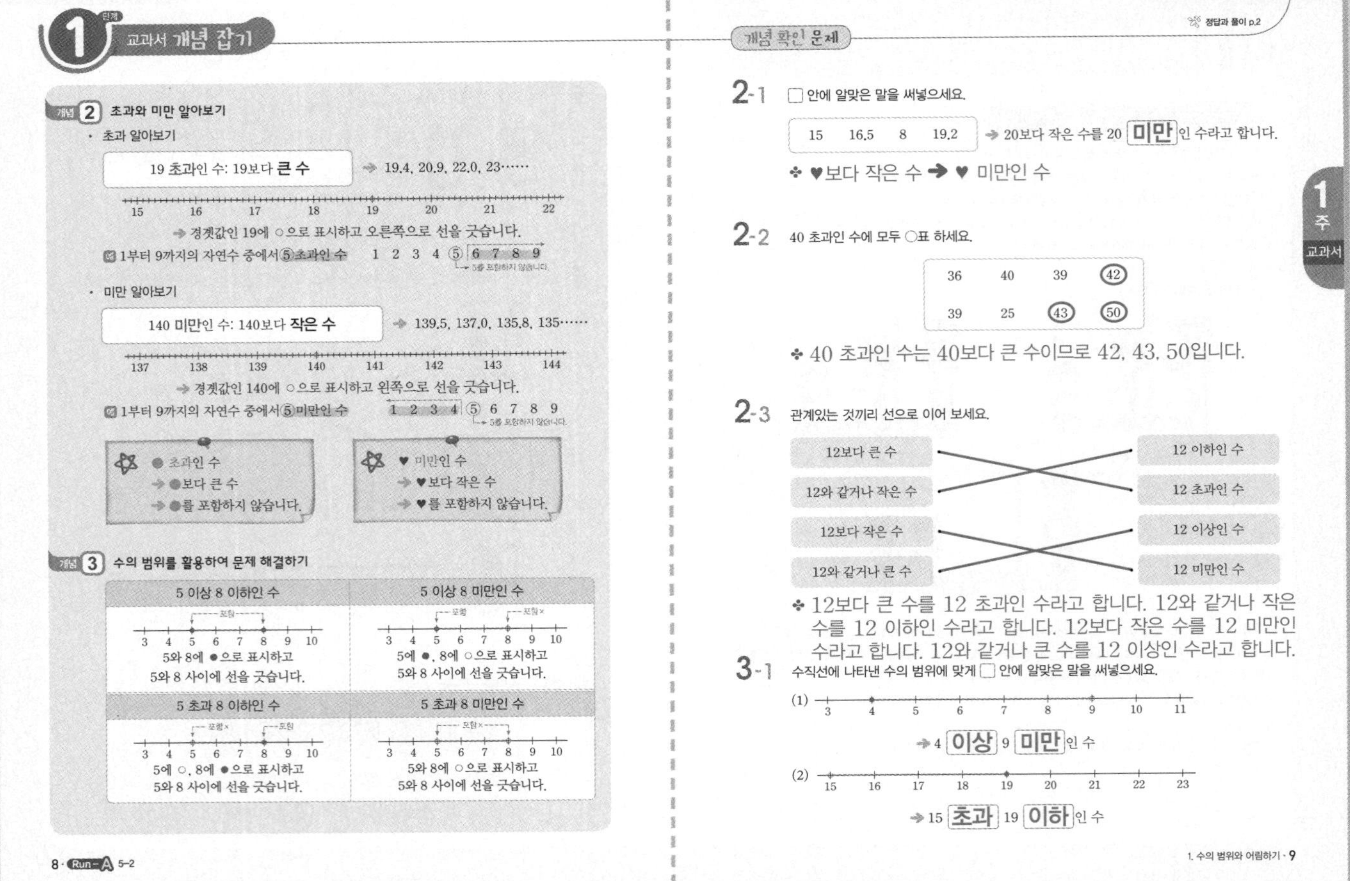

8쪽 ~ 9쪽

1단계 교과서 개념 잡기

개념 2 초과와 미만 알아보기

• 초과 알아보기

19 초과인 수: 19보다 **큰 수** → 19.4, 20.9, 22.0, 23……

15 16 17 18 19 20 21 22

→ 경곗값인 19에 ○으로 표시하고 오른쪽으로 선을 긋습니다.

예 1부터 9까지의 자연수 중에서 5 초과인 수 1 2 3 4 ⑤ 6 7 8 9 (5를 포함하지 않습니다.)

• 미만 알아보기

140 미만인 수: 140보다 **작은 수** → 139.5, 137.0, 135.8, 135……

137 138 139 140 141 142 143 144

→ 경곗값인 140에 ○으로 표시하고 왼쪽으로 선을 긋습니다.

예 1부터 9까지의 자연수 중에서 5 미만인 수 1 2 3 4 ⑤ 6 7 8 9 (5를 포함하지 않습니다.)

● 초과인 수
→ ●보다 큰 수
→ ●를 포함하지 않습니다.

♥ 미만인 수
→ ♥보다 작은 수
→ ♥를 포함하지 않습니다.

개념 3 수의 범위를 활용하여 문제 해결하기

5 이상 8 이하인 수	5 이상 8 미만인 수
5와 8에 ●으로 표시하고 5와 8 사이에 선을 긋습니다.	5에 ●, 8에 ○으로 표시하고 5와 8 사이에 선을 긋습니다.
5 초과 8 이하인 수	**5 초과 8 미만인 수**
5에 ○, 8에 ●으로 표시하고 5와 8 사이에 선을 긋습니다.	5와 8에 ○으로 표시하고 5와 8 사이에 선을 긋습니다.

8 · Run-A 5-2

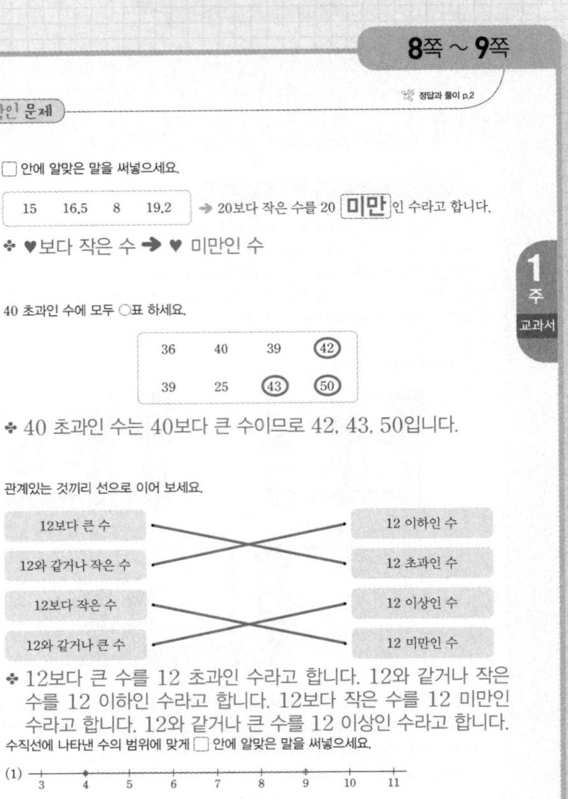

개념 확인 문제 (정답과 풀이 p.2)

2-1 □ 안에 알맞은 말을 써넣으세요.

15 16.5 8 19.2 → 20보다 작은 수를 20 **미만**인 수라고 합니다.

✤ ♥보다 작은 수 → ♥ 미만인 수

2-2 40 초과인 수에 모두 ○표 하세요.

36 40 39 (42)
39 25 (43) (50)

✤ 40 초과인 수는 40보다 큰 수이므로 42, 43, 50입니다.

2-3 관계있는 것끼리 선으로 이어 보세요.

12보다 큰 수 — 12 초과인 수
12와 같거나 작은 수 — 12 이하인 수
12보다 작은 수 — 12 미만인 수
12와 같거나 큰 수 — 12 이상인 수

✤ 12보다 큰 수를 12 초과인 수라고 합니다. 12와 같거나 작은 수를 12 이하인 수라고 합니다. 12보다 작은 수를 12 미만인 수라고 합니다. 12와 같거나 큰 수를 12 이상인 수라고 합니다.

3-1 수직선에 나타낸 수의 범위에 맞게 □ 안에 알맞은 말을 써넣으세요.

(1) 3 4 5 6 7 8 9 10 11
→ 4 **이상** 9 **미만**인 수

(2) 15 16 17 18 19 20 21 22 23
→ 15 **초과** 19 **이하**인 수

1. 수의 범위와 어림하기 · 9

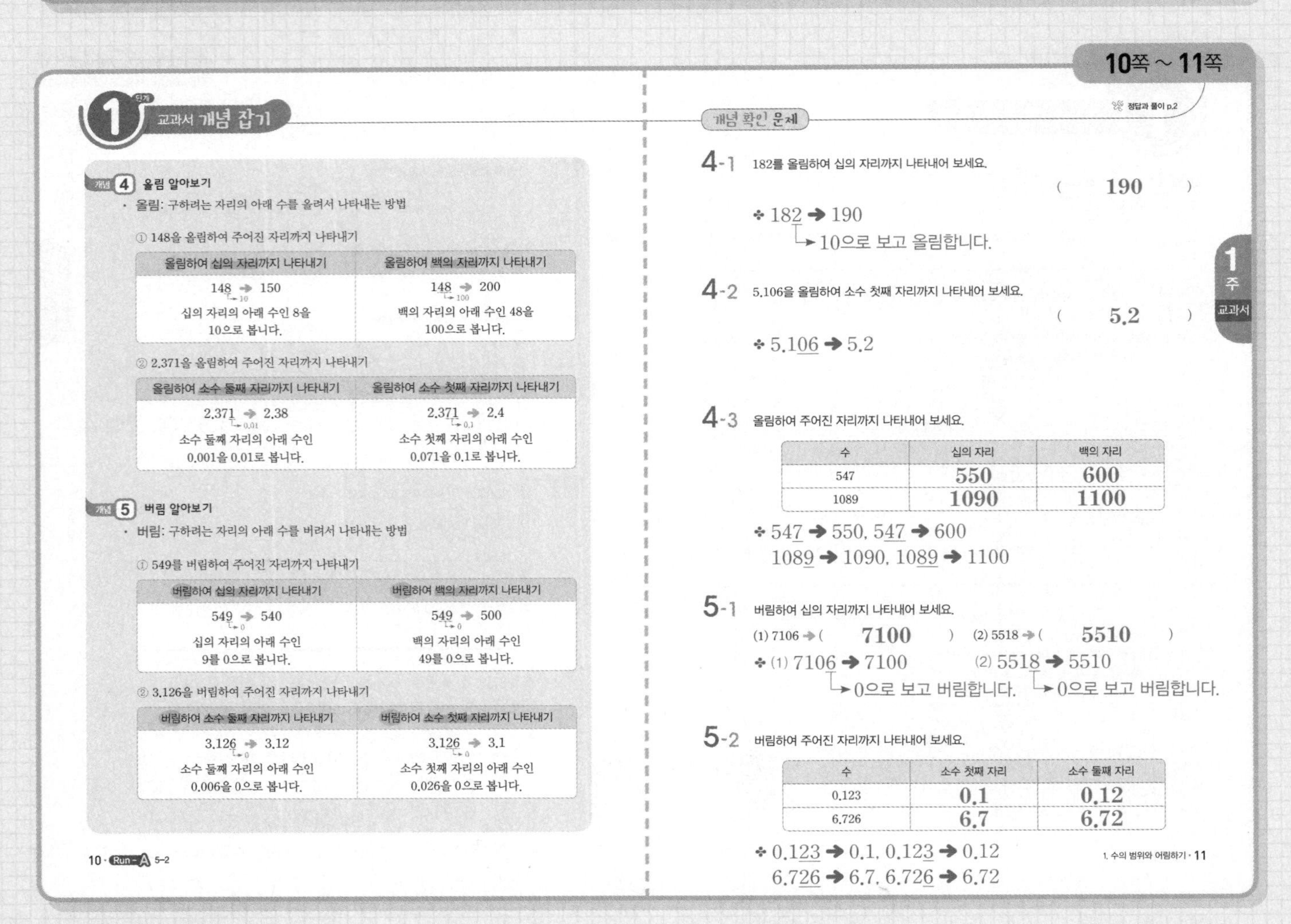

10쪽 ~ 11쪽

1단계 교과서 개념 잡기

개념 4 올림 알아보기

• 올림: 구하려는 자리의 아래 수를 올려서 나타내는 방법

① 148을 올림하여 주어진 자리까지 나타내기

올림하여 십의 자리까지 나타내기	올림하여 백의 자리까지 나타내기
148 → 150 (10) 십의 자리의 아래 수인 8을 10으로 봅니다.	148 → 200 (100) 백의 자리의 아래 수인 48을 100으로 봅니다.

② 2.371을 올림하여 주어진 자리까지 나타내기

올림하여 소수 둘째 자리까지 나타내기	올림하여 소수 첫째 자리까지 나타내기
2.371 → 2.38 (0.01) 소수 둘째 자리의 아래 수인 0.001을 0.01로 봅니다.	2.371 → 2.4 (0.1) 소수 첫째 자리의 아래 수인 0.071을 0.1로 봅니다.

개념 5 버림 알아보기

• 버림: 구하려는 자리의 아래 수를 버려서 나타내는 방법

① 549를 버림하여 주어진 자리까지 나타내기

버림하여 십의 자리까지 나타내기	버림하여 백의 자리까지 나타내기
549 → 540 (0) 십의 자리의 아래 수인 9를 0으로 봅니다.	549 → 500 (0) 백의 자리의 아래 수인 49를 0으로 봅니다.

② 3.126을 버림하여 주어진 자리까지 나타내기

버림하여 소수 둘째 자리까지 나타내기	버림하여 소수 첫째 자리까지 나타내기
3.126 → 3.12 (0) 소수 둘째 자리의 아래 수인 0.006을 0으로 봅니다.	3.126 → 3.1 (0) 소수 첫째 자리의 아래 수인 0.026을 0으로 봅니다.

10 · Run-A 5-2

개념 확인 문제 (정답과 풀이 p.2)

4-1 182를 올림하여 십의 자리까지 나타내어 보세요.

(190)

✤ 182 → 190
└→ 10으로 보고 올림합니다.

4-2 5.106을 올림하여 소수 첫째 자리까지 나타내어 보세요.

(5.2)

✤ 5.106 → 5.2

4-3 올림하여 주어진 자리까지 나타내어 보세요.

수	십의 자리	백의 자리
547	550	600
1089	1090	1100

✤ 547 → 550, 547 → 600
1089 → 1090, 1089 → 1100

5-1 버림하여 십의 자리까지 나타내어 보세요.

(1) 7106 → (7100) (2) 5518 → (5510)

✤ (1) 7106 → 7100 (2) 5518 → 5510
└→ 0으로 보고 버림합니다. └→ 0으로 보고 버림합니다.

5-2 버림하여 주어진 자리까지 나타내어 보세요.

수	소수 첫째 자리	소수 둘째 자리
0.123	0.1	0.12
6.726	6.7	6.72

✤ 0.123 → 0.1, 0.123 → 0.12
6.726 → 6.7, 6.726 → 6.72

1. 수의 범위와 어림하기 · 11

개념 6 반올림 알아보기

- 반올림: 구하려는 자리 바로 아래 자리의 숫자가 0, 1, 2, 3, 4이면 버리고, 5, 6, 7, 8, 9이면 올려서 나타내는 방법

① 2637을 반올림하여 주어진 자리까지 나타내기

반올림하여 십의 자리까지 나타내기	반올림하여 백의 자리까지 나타내기	반올림하여 천의 자리까지 나타내기
2637 → 2640 (올림) 일의 자리의 숫자가 7이므로 올림합니다.	2637 → 2600 (버림) 십의 자리의 숫자가 3이므로 버림합니다.	2637 → 3000 (올림) 백의 자리의 숫자가 6이므로 올림합니다.

② 4.281을 반올림하여 주어진 자리까지 나타내기

반올림하여 소수 첫째 자리까지 나타내기	반올림하여 소수 둘째 자리까지 나타내기
4.281 → 4.3 (올림) 소수 둘째 자리의 숫자가 8이므로 올림합니다.	4.281 → 4.28 (버림) 소수 셋째 자리의 숫자가 1이므로 버림합니다.

개념 7 올림, 버림, 반올림 활용하기

- **올림**이 활용되는 경우
  ① 귤 237개를 한 봉지에 10개씩 모두 넣을 때 봉지가 최소 몇 봉지 필요한지 알아보기
  237개를 올림하여 십의 자리까지 나타내면 240개 → 24봉지가 필요합니다.
  ② 끈 109 cm가 필요한데 1 m씩 판매할 경우 끈은 최소 몇 m 사야 하는지 알아보기
  109 cm를 올림하여 백의 자리까지 나타내면 200 cm → 2 m를 사야 합니다.
- **버림**이 활용되는 경우
  ① 4750원을 천 원짜리 지폐로 바꿀 때 최대 얼마까지 바꿀 수 있는지 알아보기
  4750원을 버림하여 천의 자리까지 나타내면 4000원 → 4000원까지 바꿀 수 있습니다.
  ② 공 833개를 한 상자에 10개씩 담아 팔 때 팔 수 있는 공은 최대 몇 상자인지 알아보기
  833개를 버림하여 십의 자리까지 나타내면 830개 → 83상자까지 팔 수 있습니다.
- **반올림**이 활용되는 경우
  ① 인구, 관객 수, 길이, 무게 등을 어림하여 나타내기
  20.9 cm를 약 몇 cm로 어림하여 나타낼 때 반올림하여 일의 자리까지 나타내면 21 cm입니다.

개념 확인 문제

정답과 풀이 p.3

6-1 419를 반올림하여 백의 자리까지 나타내어 보세요.

(400)

✤ 419 → 400
└→ 십의 자리 숫자가 1이므로 버림합니다.

6-2 2.087을 반올림하여 소수 둘째 자리까지 나타내어 보세요.

(2.09)

✤ 2.087 → 2.09
└→ 소수 셋째 자리 숫자가 7이므로 올림합니다.

6-3 반올림하여 주어진 자리까지 나타내어 보세요.

수	십의 자리	백의 자리
2463	2460	2500
5529	5530	5500

✤ 2463 → 2460, 2463 → 2500
5529 → 5530, 5529 → 5500

7-1 문제를 해결하려면 어떤 방법으로 어림해야 하는지 알맞은 어림 방법에 ○표 하세요.

(1) 길이가 11.6 cm인 연필을 1 cm 단위로 가까운 쪽의 눈금을 읽으면 몇 cm인지 알아보려고 할 때
(올림 , 버림 , (반올림))

(2) 사탕 372개를 10개씩 봉지에 담아 모두 포장한다면 필요한 봉지는 최소 몇 봉지인지 알아보려고 할 때
((올림) , 버림 , 반올림)

(3) 동전 43520원을 10000원짜리 지폐로 바꾼다면 최대 얼마까지 바꿀 수 있는지 알아보려고 할 때
(올림 , (버림) , 반올림)

✤ (2) 10개씩 봉지에 담고 남은 2개도 봉지에 담아야 하므로 올림으로 어림합니다.
(3) 3520원은 10000원짜리 지폐로 바꿀 수 없으므로 버림으로 어림합니다.

16쪽 ~ 17쪽

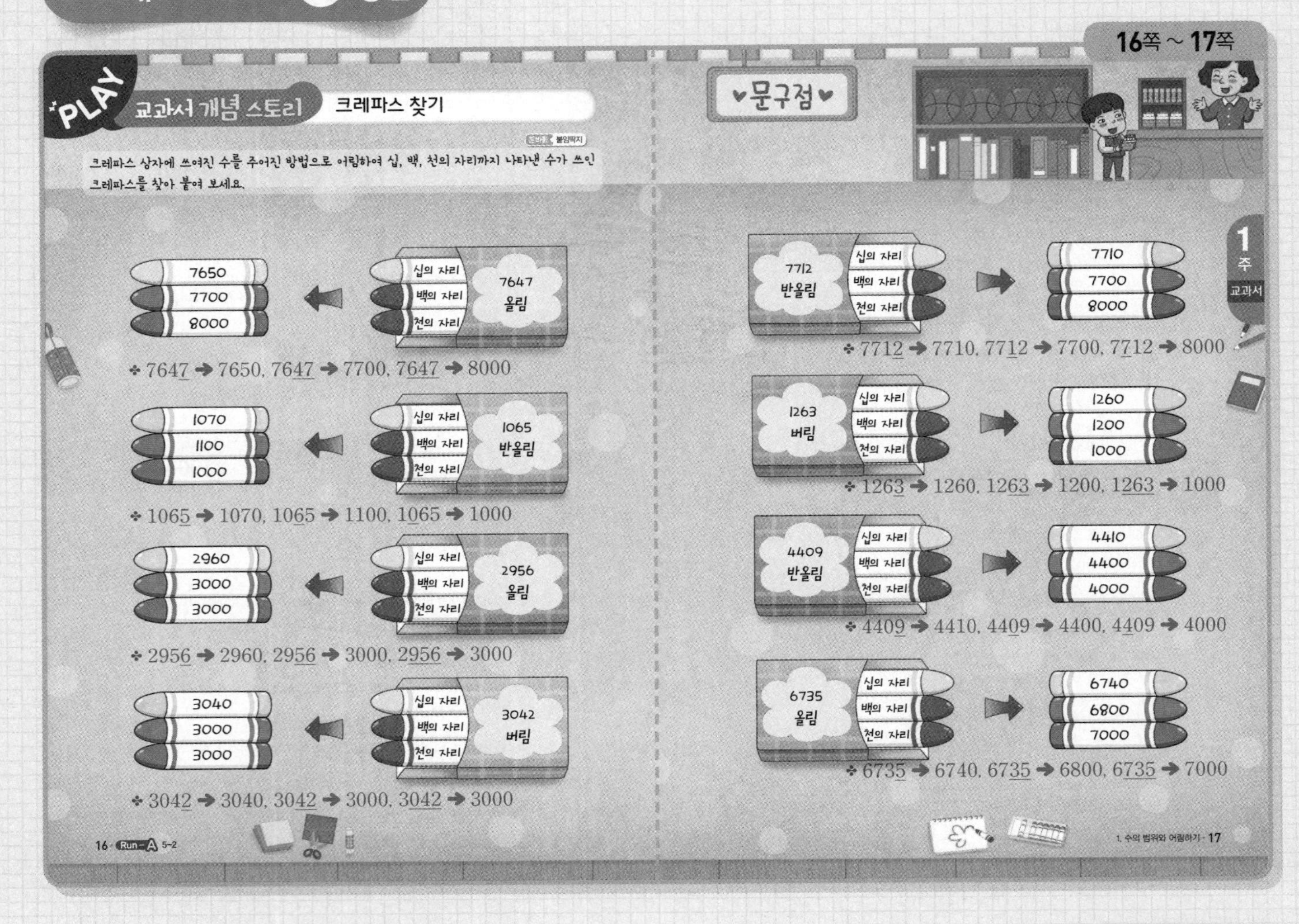

18쪽 ~ 19쪽

2단계 교과서 개념 다지기

정답과 풀이 p.4

개념 1 이상과 이하 알아보기

01 수직선에 나타낸 수의 범위를 찾아 ○표 하세요.

26 이상인 수 (○)　26 이하인 수 (　)

✤ 26에 ●으로 표시하고 오른쪽으로 선을 그었으므로 26 이상인 수입니다.

02 연우네 모둠 학생들의 몸무게를 보고 물음에 답하세요.

학생들의 몸무게

이름	연우	혁진	민수	준호	영진	태형
몸무게(kg)	47.7	52.5	50	56	50.4	48

(1) 몸무게가 48 kg 이하인 학생을 모두 써 보세요.

(**연우, 태형**)

✤ 48과 같거나 작은 수를 찾으면 47.7, 48입니다. → 연우, 태형

(2) 몸무게가 50 kg 이상인 학생은 모두 몇 명인지 써 보세요.

(**4명**)

✤ 50과 같거나 큰 수를 찾으면 52.5, 50, 56, 50.4입니다.
→ 혁진, 민수, 준호, 영진으로 4명입니다.

03 33 이상인 수에 ○표, 33 이하인 수에 △표 하세요.

✤ 33 이상인 수 → 33과 같거나 큰 수
33 이하인 수 → 33과 같거나 작은 수

개념 2 초과와 미만 알아보기

04 수직선에 나타낸 수의 범위를 찾아 기호를 써 보세요.

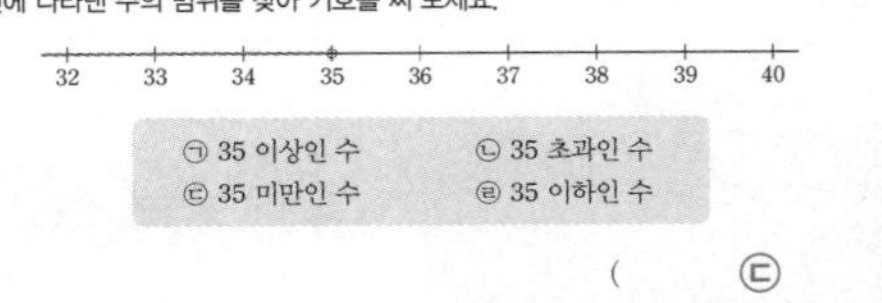

㉠ 35 이상인 수　㉡ 35 초과인 수
㉢ 35 미만인 수　㉣ 35 이하인 수

(㉢)

✤ 35에 ○으로 표시하고 왼쪽으로 선을 그었으므로 35 미만인 수입니다.

05 15 초과인 수는 모두 몇 개인지 써 보세요.

13.7	15	24.2	18.9	16.3
20.1	19	5.5	17.4	20

(**7개**)

✤ 15 초과인 수는 15보다 큰 수입니다. 15보다 큰 수는 24.2, 18.9, 16.3, 20.1, 19, 17.4, 20이므로 모두 7개입니다.

06 윤주네 반 학생들이 1분 동안 한 윗몸 말아 올리기 기록을 조사하여 나타낸 표입니다. 윗몸 말아 올리기 횟수가 38회 초과인 학생을 모두 써 보세요.

윗몸 말아 올리기 기록

이름	윤주	승기	수지	채민	민호	종서
횟수(회)	32	25	38	47	36	40

(**채민, 종서**)

✤ 38 초과인 수는 38보다 큰 수입니다. 횟수에서 38보다 큰 수를 찾으면 47, 40입니다. → 채민, 종서

18 · Run-A 5-2　1. 수의 범위와 어림하기 · 19

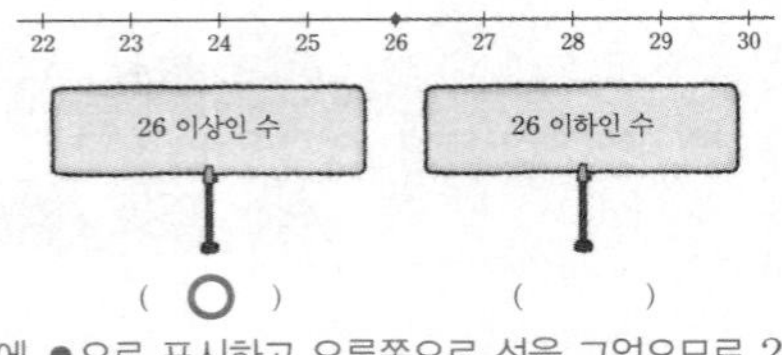

정답과 풀이 p.5

2단계 교과서 개념 다지기

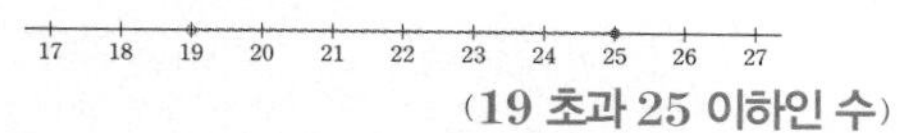

개념 3 수의 범위의 활용

07 수직선에 나타낸 수의 범위를 써 보세요.

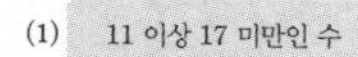

(19 초과 25 이하인 수)

✤ 19에 ○, 25에 ●으로 표시하고 19와 25 사이에 선을 그었으므로 나타낸 수의 범위는 19 초과 25 이하인 수입니다.

08 수의 범위를 수직선에 나타내어 보세요.

(1) 11 이상 17 미만인 수

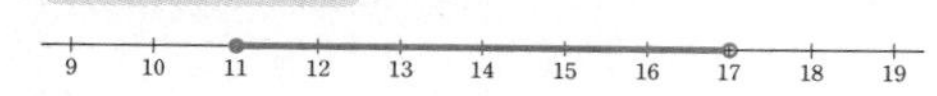

(2) 25 초과 30 이하인 수

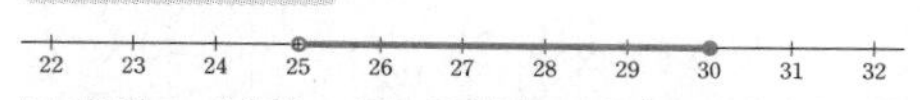

✤ (1) 11에 ●, 17에 ○으로 표시하고 11과 17 사이에 선을 긋습니다.
(2) 25에 ○, 30에 ●으로 표시하고 25와 30 사이에 선을 긋습니다.

09 영호네 학교 남자 태권도 선수들의 몸무게를 나타낸 표입니다. 라이트 미들급은 몸무게가 49 kg 초과 53 kg 이하입니다. 표를 보고 라이트 미들급에 속하는 학생의 이름을 써 보세요.

남자 태권도 선수들의 몸무게

이름	영호	지웅	민철	용빈	지후	승기
몸무게(kg)	48	53.4	54.6	49.7	47.8	53.2

(용빈)

✤ 49 초과 53 이하인 수는 49보다 크고 53과 같거나 작은 수이므로 49.7입니다. 따라서 라이트 미들급에 속하는 학생은 용빈입니다.

개념 4 올림, 버림 알아보기

10 올림하여 주어진 자리까지 나타내어 보세요.

461 →

십의 자리	백의 자리
470	500

✤ 461 → 470, 461 → 500

11 버림하여 주어진 자리까지 나타내어 보세요.

수	소수 첫째 자리	소수 둘째 자리
2.173	2.1	2.17
6.862	6.8	6.86

✤ 2.173 → 2.1, 2.173 → 2.17
6.862 → 6.8, 6.862 → 6.86

12 올림하여 십의 자리까지 나타낸 수가 나머지와 다른 것을 찾아 기호를 써 보세요.

㉠ 2603 ㉡ 2600 ㉢ 2596

(㉠)

✤ ㉠ 2603 → 2610, ㉡ 2600 → 2600, ㉢ 2596 → 2600

13 버림하여 백의 자리까지 나타낸 수가 500이 아닌 수에 ×표 하세요.

542 479(×) 500 589 516

✤ 542 → 500, 479 → 400, 500 → 500, 589 → 500, 516 → 500

정답과 풀이 p.5

2단계 교과서 개념 다지기

개념 5 반올림 알아보기

14 보기와 같이 소수를 반올림하려고 합니다. □ 안에 알맞은 수를 써넣으세요.

보기: 2.316을 반올림하여 소수 둘째 자리까지 나타내면 2.32입니다.

(1) 142.34를 반올림하여 소수 첫째 자리까지 나타내면 [142.3]입니다.
(2) 9.028을 반올림하여 소수 둘째 자리까지 나타내면 [9.03]입니다.

✤ (1) 142.34를 반올림하여 소수 첫째 자리까지 나타내면 소수 둘째 자리 숫자가 4이므로 버림하여 142.3입니다.
(2) 9.028을 반올림하여 소수 둘째 자리까지 나타내면 소수 셋째 자리 숫자가 8이므로 올림하여 9.03입니다.

15 연필의 길이는 몇 cm인지 반올림하여 일의 자리까지 나타내어 보세요.

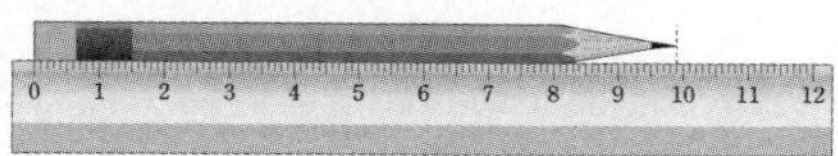

(10 cm)

✤ 연필의 실제 길이는 9.9 cm입니다. 9.9를 반올림하여 일의 자리까지 나타내면 소수 첫째 자리 숫자가 9이므로 연필의 길이는 올림하여 10 cm가 됩니다.

16 3일 동안 영화관에 입장한 관람객의 수입니다. 입장한 관람객의 수를 반올림하여 천의 자리까지 나타내어 보세요.

금요일	토요일	일요일
21569명	34723명	30418명
22000명	35000명	30000명

✤ 금요일: 21569 → 22000명
토요일: 34723 → 35000명
일요일: 30418 → 30000명

개념 6 올림, 버림, 반올림 활용하기

17 택배 상자 863개를 트럭에 모두 실으려고 합니다. 트럭 한 대에 100상자씩 실을 수 있을 때 트럭은 최소 몇 대가 필요할까요?

(9대)

✤ 올림으로 어림합니다.
863 → 900이므로 트럭은 최소 9대가 필요합니다.

18 공장에서 장난감을 1329개 만들었습니다. 한 상자에 10개씩 담아서 판다면 팔 수 있는 장난감은 최대 몇 상자일까요?

(132상자)

✤ 버림으로 어림합니다.
1329 → 1320이므로 팔 수 있는 장난감은 최대 132상자입니다.

19 윤서의 키를 재었더니 161.7 cm입니다. 1 cm 단위로 가까운 쪽의 눈금을 읽으면 몇 cm일까요?

(162 cm)

✤ 반올림으로 어림합니다.
161.7 → 162이므로 162 cm입니다.

20 어림하는 방법이 다른 한 친구를 찾아 이름을 써 보세요.

강호: 카페에서 음료를 10번 살 때마다 1잔을 공짜로 받을 수 있대. 나는 29번 샀으니까 2잔을 받을 수 있어.

예지: 공책 32권을 10권씩 묶어서 팔면 모두 30권을 팔 수 있겠네.

현서: 40.3 kg인 내 몸무게를 1 kg 단위로 가까운 쪽의 눈금을 읽으면 40 kg이야.

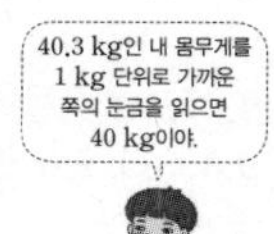

(현서)

✤ 강호, 예지는 모두 버림의 방법으로 어림하였으나 현서는 반올림의 방법으로 어림했습니다.

24쪽 ~ 25쪽

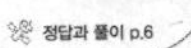

3단계 교과서 실력 다지기

정답과 풀이 p.6

수의 범위에 포함되는 자연수의 개수 구하기

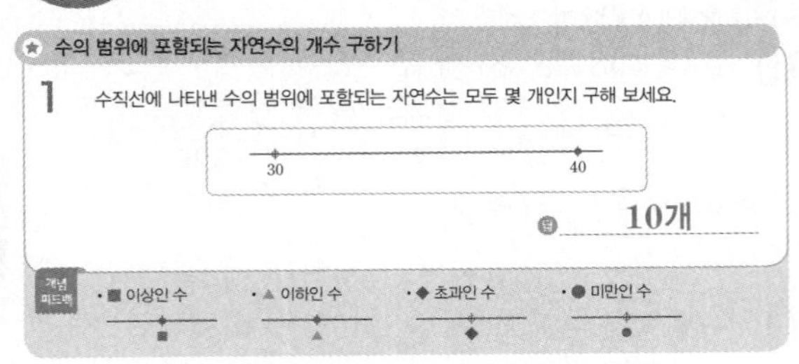

1 수직선에 나타낸 수의 범위에 포함되는 자연수는 모두 몇 개인지 구해 보세요.

답 10개

개념 피드백 • ■ 이상인 수 • ▲ 이하인 수 • ◆ 초과인 수 • ● 미만인 수

❖ 수직선에 나타낸 수의 범위는 30 초과 40 이하인 수입니다.
30 초과 40 이하인 수 중에서 자연수는 31, 32, 33, 34, 35, 36, 37, 38, 39, 40이므로 모두 10개입니다.

1-1 수직선에 나타낸 수의 범위에 포함되는 자연수는 모두 몇 개인지 구해 보세요.

(8개)

❖ 수직선에 나타낸 수의 범위는 22 초과 31 미만인 수입니다.
22 초과 31 미만인 수 중에서 자연수는 23, 24, 25, 26, 27, 28, 29, 30이므로 모두 8개입니다.

1-2 수직선에 나타낸 수의 범위에 포함되는 자연수를 모두 더하면 얼마인지 구해 보세요.

(50)

❖ 수직선에 나타낸 수의 범위는 8 이상 12 이하인 수입니다.
8 이상 12 이하인 수 중에서 자연수는 8, 9, 10, 11, 12이므로 8+9+10+11+12=50입니다.

어림한 수의 크기 비교하기

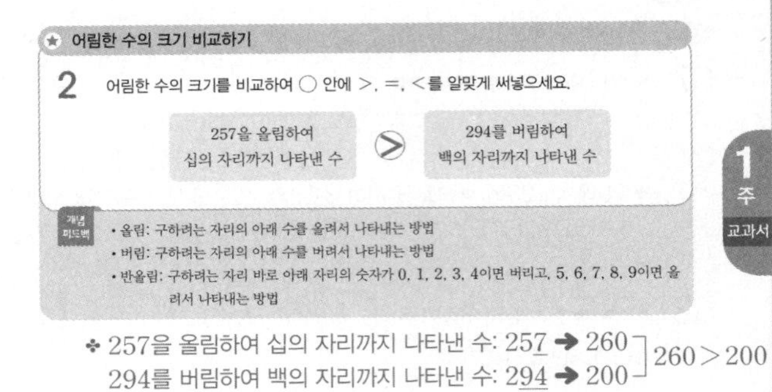

2 어림한 수의 크기를 비교하여 ○ 안에 >, =, <를 알맞게 써넣으세요.

257을 올림하여 십의 자리까지 나타낸 수 ⓢ 294를 버림하여 백의 자리까지 나타낸 수 → (>)

개념 피드백
• 올림: 구하려는 자리의 아래 수를 올려서 나타내는 방법
• 버림: 구하려는 자리의 아래 수를 버려서 나타내는 방법
• 반올림: 구하려는 자리 바로 아래 자리의 숫자가 0, 1, 2, 3, 4이면 버리고, 5, 6, 7, 8, 9이면 올려서 나타내는 방법

❖ 257을 올림하여 십의 자리까지 나타낸 수: 257 → 260
294를 버림하여 백의 자리까지 나타낸 수: 294 → 200
260 > 200

2-1 어림한 수의 크기를 비교하여 ○ 안에 >, =, <를 알맞게 써넣으세요.

513을 버림하여 십의 자리까지 나타낸 수 (=) 510을 올림하여 십의 자리까지 나타낸 수

❖ 513을 버림하여 십의 자리까지 나타낸 수: 513 → 510
510을 올림하여 십의 자리까지 나타낸 수: 510 → 510
같습니다.

2-2 어림한 수의 크기를 비교하여 ○ 안에 >, =, <를 알맞게 써넣으세요.

4419를 올림하여 천의 자리까지 나타낸 수 (>) 4592를 반올림하여 백의 자리까지 나타낸 수

❖ 4419를 올림하여 천의 자리까지 나타낸 수: 4419 → 5000
4592를 반올림하여 백의 자리까지 나타낸 수: 4592 → 4600
5000 > 4600

1주 교과서

26쪽 ~ 27쪽

3단계 교과서 실력 다지기

정답과 풀이 p.6

조건을 만족하는 소수 구하기

3 은주가 말하는 수 중에서 8.35 이하인 수를 모두 구해 보세요.

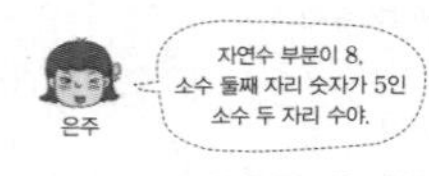

자연수 부분이 8,
소수 둘째 자리 숫자가 5인
소수 두 자리 수야.
은주

답 8.05, 8.15, 8.25, 8.35

개념 피드백 이상, 이하는 경곗값을 포함하고, 초과, 미만은 경곗값을 포함하지 않습니다.

❖ 8.□5인 소수 두 자리 수 중에서 8.35와 같거나 작은 수는 8.05, 8.15, 8.25, 8.35입니다.

3-1 현서가 말하는 수 중에서 6.77 초과인 수를 모두 구해 보세요.

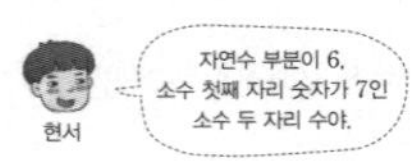

자연수 부분이 6,
소수 첫째 자리 숫자가 7인
소수 두 자리 수야.
현서

(6.78, 6.79)

❖ 6.7□인 소수 두 자리 수 중에서 6.77보다 큰 수는 6.78, 6.79입니다.

3-2 자연수 부분이 9인 소수 한 자리 수 중에서 9.2 이상인 수는 모두 몇 개인지 구해 보세요.

(8개)

❖ 9.□인 소수 한 자리 수 중에서 9.2와 같거나 큰 수는 9.2, 9.3, 9.4, 9.5, 9.6, 9.7, 9.8, 9.9로 8개입니다.

3-3 자연수 부분이 5인 소수 한 자리 수 중에서 5.7 미만인 수는 모두 몇 개인지 구해 보세요.
(단, 소수 첫째 자리 숫자가 0인 경우는 생각하지 않습니다.)

(6개)

❖ 5.□인 소수 한 자리 수 중에서 5.7보다 작은 수는 5.1, 5.2, 5.3, 5.4, 5.5, 5.6으로 6개입니다.

수 카드로 범위에 포함되는 수 만들기

4 수 카드 3장을 한 번씩만 사용하여 21 초과인 두 자리 수를 모두 만들어 보세요.

5 2 1

답 25, 51, 52

개념 피드백
• 범위에 포함되는 수 만들기
① 이상, 이하, 초과, 미만의 뜻을 알고 범위를 알아봅니다.
② 범위에 알맞게 수 카드로 수를 만듭니다.

❖ 21 초과인 수 → 21보다 큰 수
수 카드로 만들 수 있는 21보다 큰 두 자리 수는 25, 51, 52입니다.

4-1 수 카드 3장을 한 번씩만 사용하여 70 이하인 두 자리 수를 모두 만들어 보세요.

7 3 0

(30, 37, 70)

❖ 70 이하인 수 → 70과 같거나 작은 수
수 카드로 만들 수 있는 70과 같거나 작은 두 자리 수는 30, 37, 70입니다.

4-2 수 카드 3장을 한 번씩만 사용하여 만들 수 있는 수 중에서 486 이상인 수는 모두 몇 개인지 구해 보세요.

6 8 4

(5개)

❖ 486 이상인 수 → 486과 같거나 큰 수
수 카드로 만들 수 있는 486과 같거나 큰 수는 486, 648, 684, 846, 864입니다. → 5개

1주 교과서

3단계 교과서 실력 다지기

정답과 풀이 p.7

올림 활용하기

5 오렌지 762상자를 트럭에 모두 실으려고 합니다. 트럭 한 대에 100상자씩 실을 수 있다면 트럭은 최소 몇 대가 필요한지 구해 보세요.

답 8대

개념 피드백
- 올림을 활용해야 하는 경우
① 학생들에게 낱개로 나누어 줄 때 필요한 사탕의 묶음 수
② 모든 사람을 태울 수 있는 버스의 수
③ 물건을 모두 담는 데 필요한 상자의 수

❖ 트럭에 못 싣는 상자가 없어야 하므로 올림하여 백의 자리까지 나타냅니다. 762 → 800
따라서 트럭은 최소 8대가 필요합니다.

5-1 학생 316명이 모두 보트를 타려고 합니다. 보트 한 척에 10명까지 탈 수 있다면 보트는 최소 몇 척이 있어야 하는지 구해 보세요.

(32척)

남는 학생이 없이 모두 보트에 타야 해요.

❖ 보트에 못 타는 학생이 없어야 하므로 올림하여 십의 자리까지 나타냅니다. 316 → 320
따라서 보트는 최소 32척이 있어야 합니다.

5-2 영지는 23700원짜리 게임 CD를 사려고 합니다. 물음에 답하세요.

(1) 1000원짜리 지폐로만 게임 CD를 사려면 최소 얼마를 내야 할까요?

(24000원)

❖ 23700원을 1000원짜리 지폐로만 낸다면 최소 24000원을 내야 합니다.

(2) 10000원짜리 지폐로만 게임 CD를 사려면 최소 얼마를 내야 할까요?

(30000원)

❖ 23700원을 10000원짜리 지폐로만 낸다면 최소 30000원을 내야 합니다.

버림 활용하기

6 동전을 모은 저금통을 열어 보니 100원짜리 동전이 48개 있습니다. 이 돈을 1000원짜리 지폐로 바꾼다면 최대 얼마까지 바꿀 수 있을까요?

답 4000원

개념 피드백
- 버림을 활용해야 하는 경우
① 팔 수 있는 상자의 수
② 지폐로 바꿀 수 있는 동전의 수
③ 상자에 담을 수 있는 물건의 수

❖ 저금통에 있는 돈은 모두 $100 \times 48 = 4800$(원)입니다.
1000원보다 적은 돈은 지폐로 바꿀 수 없으므로 버림으로 어림합니다.
4800 → 4000
따라서 1000원짜리 지폐로 최대 4000원까지 바꿀 수 있습니다.

6-1 귤 3264개를 한 상자에 100개씩 담아서 팔려고 합니다. 귤은 최대 몇 상자까지 팔 수 있을까요?

(32상자)

100개가 든 상자만 팔 수 있어요.

❖ 버림으로 어림합니다.
3264 → 3200이므로 최대 32상자까지 팔 수 있습니다.

6-2 사탕 429개를 봉지에 담아서 팔려고 합니다. 물음에 답하세요.

(1) 한 봉지에 10개씩 담아서 판다면 팔 수 있는 사탕은 최대 몇 봉지일까요?

(42봉지)

❖ 버림으로 어림합니다.
429 → 420이므로 최대 42봉지까지 팔 수 있습니다.

(2) 한 봉지에 100개씩 담아서 판다면 팔 수 있는 사탕은 최대 몇 봉지일까요?

(4봉지)

❖ 버림으로 어림합니다.
429 → 400이므로 최대 4봉지까지 팔 수 있습니다.

1주 교과서

Test 교과서 서술형 연습

정답과 풀이 p.7

1 석호, 민지, 남준 중에서 초등부 태권도 헤비급에 참가할 수 있는 사람은 누구인지 구해 보세요.

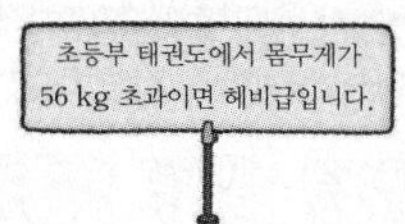

초등부 태권도에서 몸무게가 56 kg 초과이면 헤비급입니다.

해결하기 56 초과인 수는 56보다 (큰, 작은) 수입니다.
50, 57, 56 중에서 56보다 (큰, 작은) 수는 57입니다.
따라서 초등부 태권도 헤비급에 참가할 수 있는 사람은 민지입니다.

답 구하기 민지

2 수현, 정훈, 진태 중에서 놀이 기구를 탈 수 없는 사람은 누구인지 구해 보세요.

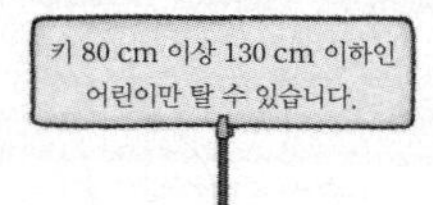

키 80 cm 이상 130 cm 이하인 어린이만 탈 수 있습니다.

해결하기 예 80 이상 130 이하인 수는 80과 같거나 크고 130과 같거나 작은 수입니다. 80, 140, 100 중에서 80과 같거나 크고 130과 같거나 작은 수는 80, 100입니다.
따라서 놀이 기구를 탈 수 없는 사람은 정훈입니다.

답 구하기 정훈

3 공책이 624권 필요합니다. 문구점에서 공책을 10권씩 묶어 팔 때 공책을 최소 몇 묶음 사야 하는지 구해 보세요.

구하려는 것, 주어진 것에 선을 그어 봅니다.

해결하기 공책을 10권 묶음으로만 팔므로 필요한 공책의 수를 (올림, 버림, 반올림)하여 십의 자리까지 나타내면 624 → 630입니다.
따라서 공책은 최소 63묶음 사야 합니다.

답 구하기 63묶음

4 사탕이 1034개 필요합니다. 슈퍼마켓에서 사탕을 한 봉지에 100개씩 넣어 팔 때 사탕을 최소 몇 봉지 사야 하는지 구해 보세요.

주어진 것
구하려는 것

구하려는 것, 주어진 것에 선을 그어 봅니다.

해결하기 예 사탕을 100개가 든 봉지로만 팔므로 필요한 사탕의 수를 올림하여 백의 자리까지 나타내면 1034 → 1100입니다.
따라서 사탕은 최소 11봉지 사야 합니다.

답 구하기 11봉지

1주 교과서

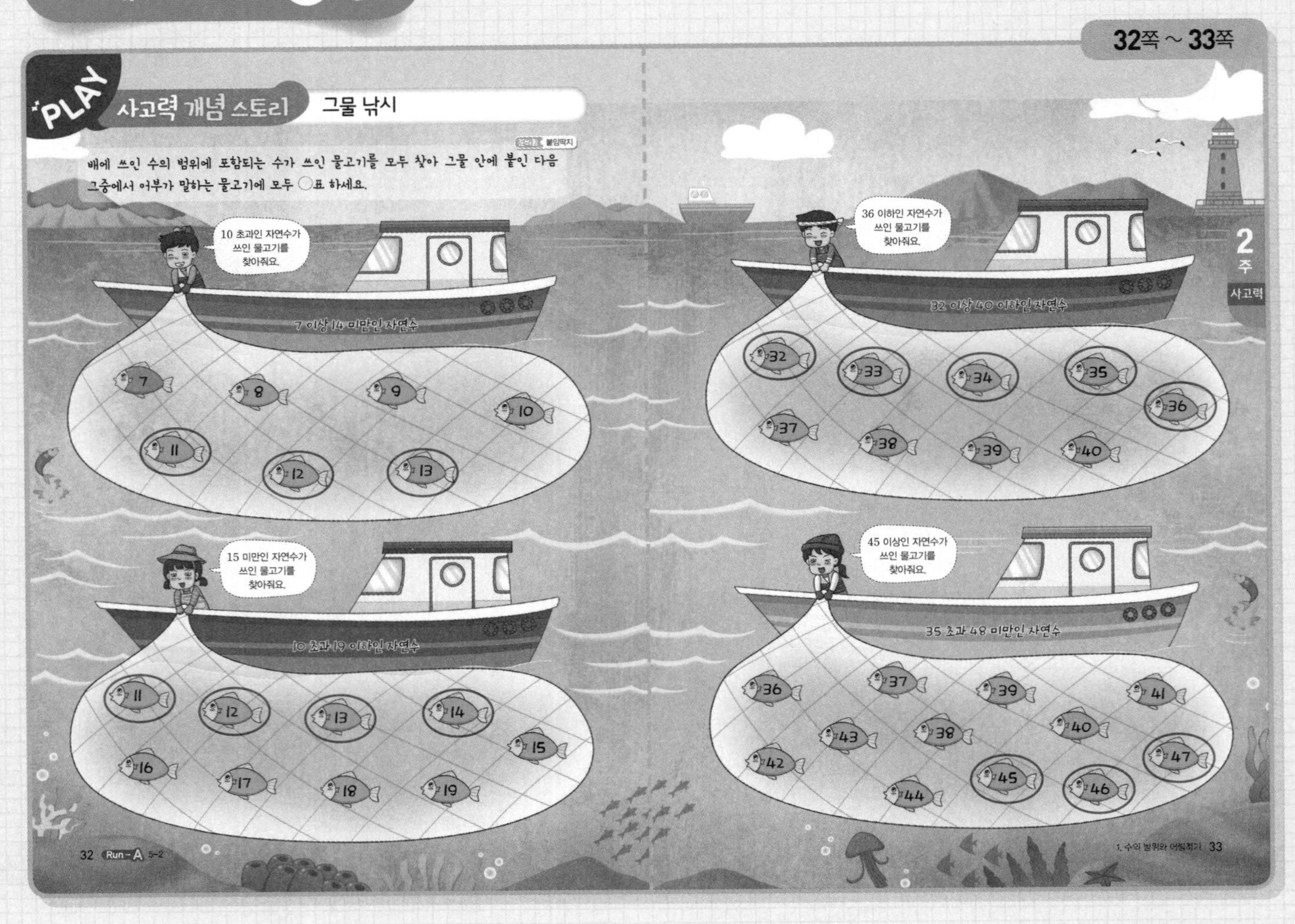
PLAY 사고력 개념 스토리 그물 낚시
붙임딱지
배에 쓰인 수의 범위에 포함되는 수가 쓰인 물고기를 모두 찾아 그물 안에 붙인 다음 그중에서 어부가 말하는 물고기에 모두 ○표 하세요.
10 초과인 자연수가 쓰인 물고기를 찾아줘요.
7 이상 14 미만인 자연수
7 8 9 10 11 12 13
36 이하인 자연수가 쓰인 물고기를 찾아줘요.
32 이상 40 이하인 자연수
32 33 34 35 36 37 38 39 40
15 미만인 자연수가 쓰인 물고기를 찾아줘요.
10 초과 19 이하인 자연수
11 12 13 14 15 16 17 18 19
45 이상인 자연수가 쓰인 물고기를 찾아줘요.
35 초과 48 미만인 자연수
36 37 39 41 43 38 40 42 47 44 45 46
2 주 사고력
32 Run-A 5-2
1. 수의 범위와 어림하기 33

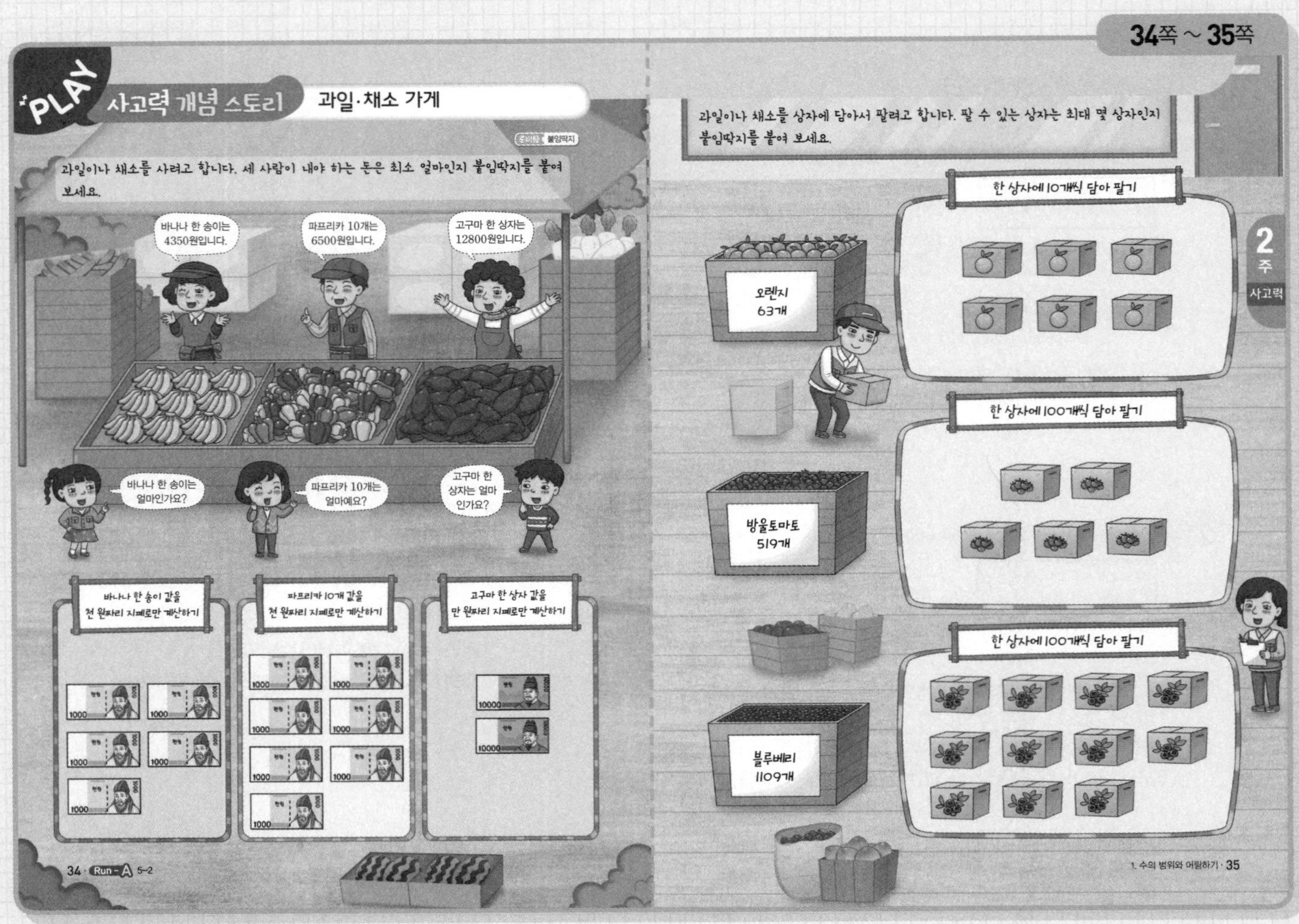
PLAY 사고력 개념 스토리 과일·채소 가게
붙임딱지
과일이나 채소를 사려고 합니다. 세 사람이 내야 하는 돈은 최소 얼마인지 붙임딱지를 붙여 보세요.
바나나 한 송이는 4350원입니다.
파프리카 10개는 6500원입니다.
고구마 한 상자는 12800원입니다.
바나나 한 송이는 얼마인가요?
파프리카 10개는 얼마예요?
고구마 한 상자는 얼마인가요?
바나나 한 송이 값을 천 원짜리 지폐로만 계산하기
파프리카 10개 값을 천 원짜리 지폐로만 계산하기
고구마 한 상자 값을 만 원짜리 지폐로만 계산하기
과일이나 채소를 상자에 담아서 팔려고 합니다. 팔 수 있는 상자는 최대 몇 상자인지 붙임딱지를 붙여 보세요.
한 상자에 10개씩 담아 팔기
오렌지 63개
한 상자에 100개씩 담아 팔기
방울토마토 519개
한 상자에 100개씩 담아 팔기
블루베리 1109개
2 주 사고력
34 Run-A 5-2
1. 수의 범위와 어림하기 · 35

1단계 교과 사고력 잡기

정답과 풀이 p.9

1 우체국에서 택배를 보내려고 합니다. 택배 요금을 구해 보세요.

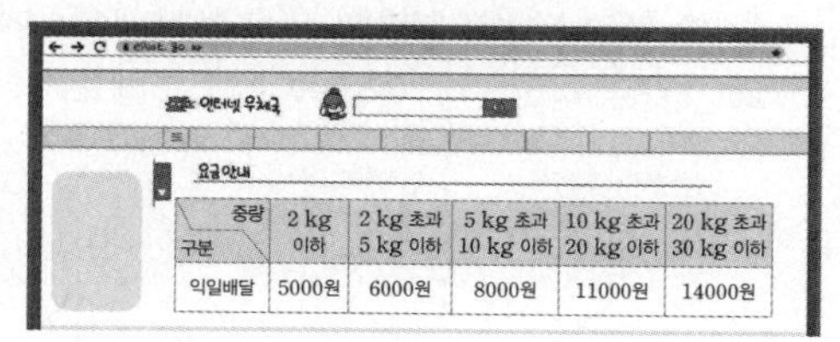

구분 \ 중량	2 kg 이하	2 kg 초과 5 kg 이하	5 kg 초과 10 kg 이하	10 kg 초과 20 kg 이하	20 kg 초과 30 kg 이하
익일배달	5000원	6000원	8000원	11000원	14000원

❶ 물건을 넣은 상자의 무게가 5 kg일 때 택배를 보내려면 요금은 얼마인지 구해 보세요.

(6000원)

✣ 5 kg은 2 kg 초과 5 kg 이하인 범위에 들어가므로 요금은 6000원입니다.

❷ 물건을 넣은 상자의 무게가 7 kg일 때 택배를 보내려면 요금은 얼마인지 구해 보세요.

(8000원)

✣ 7 kg은 5 kg 초과 10 kg 이하인 범위에 들어가므로 요금은 8000원입니다.

❸ 물건을 넣은 상자의 무게가 10 kg일 때 택배를 보내려면 요금은 얼마인지 구해 보세요.

(8000원)

✣ 10 kg은 5 kg 초과 10 kg 이하인 범위에 들어가므로 요금은 8000원입니다.

2 어느 날의 환율입니다. 정아와 민수는 각자 가지고 있는 돈으로 최대 몇 달러까지 바꿀 수 있는지 구해 보세요.

❶ 알맞은 어림 방법에 ○표 하세요.
1500원을 달러로 바꿀 때 (올림 , (버림), 반올림)으로 어림합니다.

✣ 1500을 버림하여 천의 자리까지 나타내면 1000이고 1000원까지 달러로 바꿀 수 있습니다.

❷ 정아는 최대 몇 달러까지 바꿀 수 있을까요?

(768달러)

✣ 768600을 버림하여 천의 자리까지 나타내면 768600 ➔ 768000이므로 최대 768달러까지 바꿀 수 있습니다.

❸ 민수는 최대 몇 달러까지 바꿀 수 있을까요?

(215달러)

✣ 215980을 버림하여 천의 자리까지 나타내면 215980 ➔ 215000이므로 최대 215달러까지 바꿀 수 있습니다.

1단계 교과 사고력 잡기

정답과 풀이 p.9

3 다음 조건 을 모두 만족하는 네 자리 수를 모두 구해 보세요.

조건 천의 자리 수는 4 초과 7 미만인 수입니다.

조건 백의 자리 수는 9 이상인 수입니다.

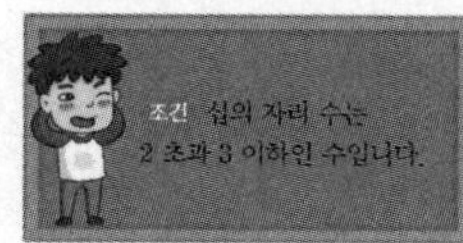

조건 십의 자리 수는 2 초과 3 이하인 수입니다.

조건 일의 자리 수는 1입니다.

❶ 천의 자리 수가 될 수 있는 수를 모두 구해 보세요.

(5, 6)

✣ 4 초과 7 미만인 수 ➔ 4보다 크고 7보다 작은 수이므로 5, 6입니다.

❷ 백의 자리 수를 구해 보세요.

(9)

✣ 9 이상인 수 ➔ 9와 같거나 큰 수이므로 9입니다.

❸ 십의 자리 수를 구해 보세요.

(3)

✣ 2 초과 3 이하인 수 ➔ 2보다 크고 3과 같거나 작은 수이므로 3입니다.

❹ 조건 을 모두 만족하는 네 자리 수를 모두 구해 보세요.

(5931, 6931)

4 지역별 인구를 반올림하여 만의 자리까지 나타내어 지도에 써넣고 있습니다. 물음에 답하세요.

2018년 지역별 인구

지역	인구(명)
서울	9705000
부산	3400000
대구	2450000
광주	1493000
제주도	

❶ 서울의 인구를 반올림하여 만의 자리까지 나타낸 수를 구하고, 지도에 알맞게 써넣으세요.

9705000 ➔ (9710000)

✣ 서울의 인구는 9705000명이므로 반올림하여 만의 자리까지 나타내면 9705000 ➔ 9710000입니다.

❷ 광주의 인구를 반올림하여 만의 자리까지 나타낸 수를 구하고, 지도에 알맞게 써넣으세요.

1493000 ➔ (1490000)

✣ 광주의 인구는 1493000명이므로 반올림하여 만의 자리까지 나타내면 1493000 ➔ 1490000입니다.

❸ 제주도의 인구가 될 수 없는 수에 ×표 하세요.

654000 649000 ~~655000~~

✣ 655000은 반올림하여 만의 자리까지 나타내면 655000 ➔ 660000입니다.

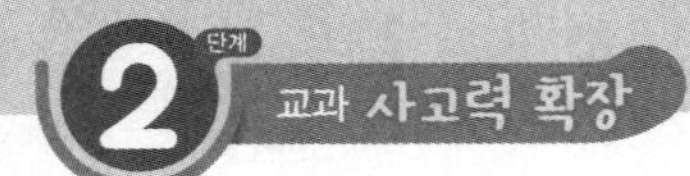
2 단계
교과 사고력 확장

정답과 풀이 p.10

1 호우주의보와 호우경보는 기상청에서 발표하는 기상특보의 일부입니다. 호우주의보와 호우경보를 발표하는 기준을 보고 물음에 답하세요.

예상강수량
(~모레, mm)
200↑
50~150

호우주의보
3시간의 강수량이 60 mm 이상으로 예상되거나
12시간의 강수량이 110 mm 이상으로 예상될 경우
호우경보
6시간의 강수량이 110 mm 이상으로 예상되거나
12시간의 강수량이 180 mm 이상으로 예상될 경우

① 어느 도시에 호우주의보가 발표되었습니다. 이 도시의 3시간의 예상 강수량의 범위를 수직선에 나타내어 보세요.

40 50 60 70 80 90 100 110 120 (mm)

✤ 3시간의 예상 강수량은 60 mm 이상입니다. 60에 ●으로 표시하고 오른쪽으로 선을 긋습니다.

② 어느 도시에 호우경보가 발표되지 않으려면 6시간의 예상 강수량이 얼마여야 하는지 예상 강수량의 범위를 수직선에 나타내어 보세요.

40 50 60 70 80 90 100 110 120 (mm)

✤ 6시간의 예상 강수량이 110 mm 이상이면 호우경보가 발표됩니다.
110 이상인 수 ➔ 110과 같거나 큰 수
따라서 호우경보가 발표되지 않으려면 6시간의 예상 강수량이 110보다 작아야 합니다.

2 화물을 포함한 자동차의 무게를 제한하는 표지판입니다. 표지판이 표시된 도로로 지나갈 수 있는 자동차를 찾아 선으로 이어 보세요. (단, 선은 하나씩만 연결할 수 있습니다.)

참고 1 t은 무게의 단위입니다. 1 t은 1톤이라고 읽고, 1 t=1000 kg입니다.

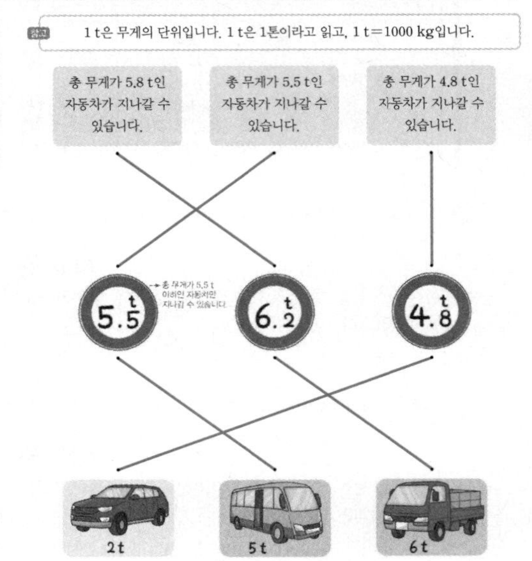
총 무게가 5.8 t인 자동차가 지나갈 수 있습니다.
총 무게가 5.5 t인 자동차가 지나갈 수 있습니다.
총 무게가 4.8 t인 자동차가 지나갈 수 있습니다.
5.5 t
6.2 t
4.8 t
2 t
5 t
6 t

✤ 5.5 이하인 수 ➔ 5.5와 같거나 작은 수
6.2 이하인 수 ➔ 6.2와 같거나 작은 수
4.8 이하인 수 ➔ 4.8과 같거나 작은 수

2 단계 교과 사고력 확장

정답과 풀이 p.10

3 세 가지 물건을 사는 데 필요한 금액을 어림했습니다. 세 친구가 어림한 방법 중에서 누구의 방법이 가장 적절한지 알아보세요.

시간 코너
10800원
6400원
16490원
나는 11000원, 7000원, 17000원으로 어림했어. 35000원은 있어야 모두 살 수 있을 것 같아.
나는 10000원, 6000원, 16000원으로 어림했어. 32000원이면 모두 살 수 있지 않을까?
나는 11000원, 6000원, 16000원으로 어림했어. 33000원이면 모두 살 수 있을 것 같아.
태진
지민
시혁

① 태진, 지민, 시혁이가 어림한 방법은 각각 무엇인지 빈칸에 써넣으세요.

이름	태진	지민	시혁
어림 방법	버림	반올림	올림

✤ 태진: 10800 ➔ 10000, 6400 ➔ 6000, 16490 ➔ 16000
이므로 버림하여 천의 자리까지 나타내었습니다.
지민: 10800 ➔ 11000, 6400 ➔ 6000, 16490 ➔ 16000
이므로 반올림하여 천의 자리까지 나타내었습니다.
시혁: 10800 ➔ 11000, 6400 ➔ 7000, 16490 ➔ 17000
이므로 올림하여 천의 자리까지 나타내었습니다.

② □ 안에 알맞은 수를 써넣고, 알맞은 말에 ○표 하세요.

진열된 물건값을 모두 더하면 33690원입니다.
따라서 (태진 , 지민 , (시혁))이가 어림한 방법인 ((올림) , 버림 , 반올림)이 가장 적절합니다.

✤ 10800+6400+16490=33690(원)
세 가지 물건을 모두 사려면 최소 33690원은 있어야 하므로 시혁이가 어림한 방법인 올림이 가장 적절합니다.

4 알맞은 말에 ○표 하여 보기의 규칙을 완성하고, 규칙에 따라 □ 안에 알맞은 수를 구해 보세요.

① 보기

4 ★ 7 = 30 　 6 ★ 9 = 50

규칙 가 ★ 나는 가와 나의 (합 , (곱))을 (올림 , 버림 , (반올림))하여 십의 자리까지 나타낸 것입니다.

✤ 4×7=28, 6×9=54
➔ 올림: 28 ➔ 30, 54 ➔ 60 (×), 버림: 28 ➔ 20, 54 ➔ 50 (×)
반올림: 28 ➔ 30, 54 ➔ 50 (○)

(1) 3 ★ 8 = 20
✤ 3×8=24
24 ➔ 20

(2) 12 ★ 9 = 110
✤ 12×9=108
108 ➔ 110

② 보기

95 ♥ 6 = 100 　 8 ♥ 260 = 200

규칙 가 ♥ 나는 가와 나의 ((합) , 곱)을 (올림 , (버림) , 반올림)하여 백의 자리까지 나타낸 것입니다.

✤ 95+6=101, 8+260=268
➔ 올림: 101 ➔ 200, 268 ➔ 300 (×), 버림: 101 ➔ 100, 268 ➔ 200 (○)
반올림: 101 ➔ 100, 268 ➔ 300 (×)

(1) 145 ♥ 123 = 200
✤ 145+123=268
268 ➔ 200

(2) 80 ♥ 322 = 400
✤ 80+322=402
402 ➔ 400

3단계 교과 사고력 완성

정답과 풀이 p.11

평가 영역 ☑개념 이해력 □개념 응용력 □창의력 □문제 해결력

1 윤주가 1부터 9까지의 수 카드 중에서 한 장을 뽑았습니다. 지성이와 윤주의 대화를 보고 윤주가 뽑은 수 카드의 수를 써 보세요.

(5)

✤ 5 이상인 수 ➔ 5와 같거나 큰 수이므로 5, 6, 7, 8, 9입니다.
5 초과인 수 ➔ 5보다 큰 수이므로 6, 7, 8, 9입니다.
따라서 5 이상인 수이면서 5 초과인 수가 아닌 수는 5뿐입니다.

평가 영역 ☑개념 이해력 □개념 응용력 □창의력 □문제 해결력

2 팻말에 쓰인 대로 어림한 수가 같은 사람끼리 선으로 이어 보세요.

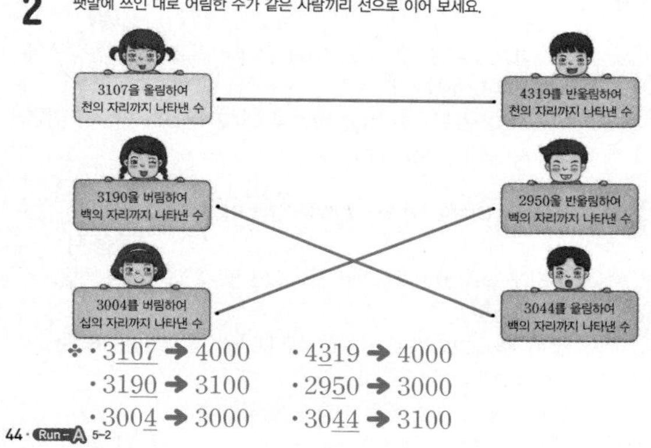

✤ • 3107 ➔ 4000 • 4319 ➔ 4000
• 3190 ➔ 3100 • 2950 ➔ 3000
• 3004 ➔ 3000 • 3044 ➔ 3100

평가 영역 □개념 이해력 □개념 응용력 □창의력 ☑문제 해결력

3 규칙에 따라 어림한 수를 빈 곳에 써넣으세요.

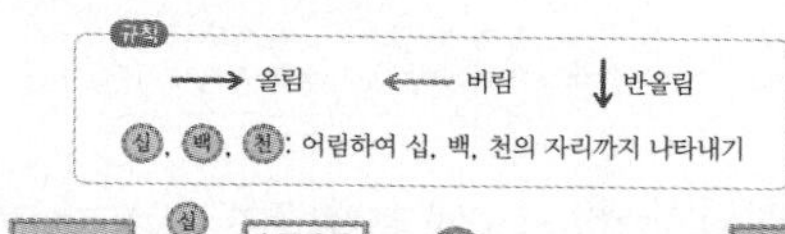

규칙
⟶ 올림 ⟵ 버림 ↓ 반올림
십, 백, 천: 어림하여 십, 백, 천의 자리까지 나타내기

❶ 1729 →(십) 1730 ↓(백) 1700

❷ 2537 ↓(십) 2540 ←(천) 2000

✤ ❶ 1729를 올림하여 십의 자리까지 나타내면 1729 ➔ 1730입니다.
1730을 반올림하여 백의 자리까지 나타내면 1730 ➔ 1700입니다.

✤ ❷ 2537을 반올림하여 십의 자리까지 나타내면 2537 ➔ 2540입니다.
2540을 버림하여 천의 자리까지 나타내면 2540 ➔ 2000입니다.

평가 영역 □개념 이해력 □개념 응용력 ☑창의력 □문제 해결력

4 윗접시저울이 다음과 같을 때 오른쪽 접시에 올라갈 수 있는 물건의 무게를 알아보려고 합니다. □ 안에 알맞은 말을 써넣어 ■와 ▲에 알맞은 수의 범위를 각각 구해 보세요.

❶ 

■ ➔ 7 초과인 수

❷ 

▲ ➔ 15 미만인 수

✤ ❶ 저울이 오른쪽으로 기울었으므로 오른쪽 물건은 7 kg보다 무겁습니다.
➔ ■는 7보다 큰 수이므로 7 초과인 수입니다.
❷ 저울이 왼쪽으로 기울었으므로 오른쪽 물건은 15 kg보다 가볍습니다.
➔ ▲는 15보다 작은 수이므로 15 미만인 수입니다.

Test 종합평가 1. 수의 범위와 어림하기

맞은 개수

정답과 풀이 p.11

1 □ 안에 알맞은 말을 써넣으세요.

37과 같거나 큰 수를 37 이상인 수라고 하고,
37과 같거나 작은 수를 37 이하인 수라고 합니다.

2 22 초과인 수에 ○표, 22 미만인 수에 △표 하세요.

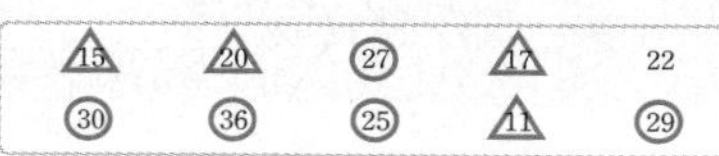

✤ 22 초과인 수는 22보다 큰 수이고, 22 미만인 수는 22보다 작은 수입니다.

3 수의 범위를 수직선에 나타내어 보세요.

(1) 14 이상인 수

12 13 14 15 16 17 18 19 20 21

(2) 33 미만인 수

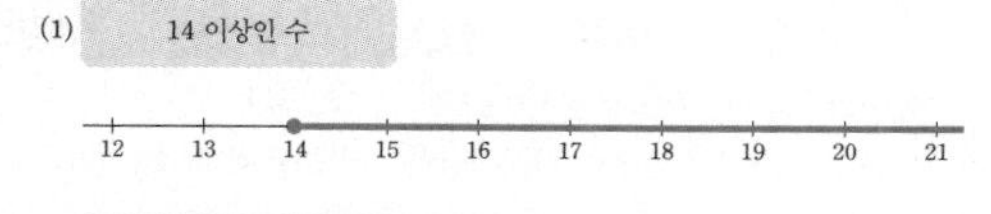

✤ (1) 14에 ●으로 표시하고 오른쪽으로 선을 긋습니다.
(2) 33에 ○으로 표시하고 왼쪽으로 선을 긋습니다.

4 615를 올림하여 백의 자리까지 나타내어 보세요.

(700)

✤ 615 ➔ 700

5 27 이상인 수를 모두 찾아 써 보세요.

28.6	26.9	25
27	15.8	19.2

(28.6, 27)

✤ 27 이상인 수는 27과 같거나 큰 수입니다. ➔ 28.6, 27

6 수직선에 나타낸 수의 범위를 찾아 선으로 이어 보세요.

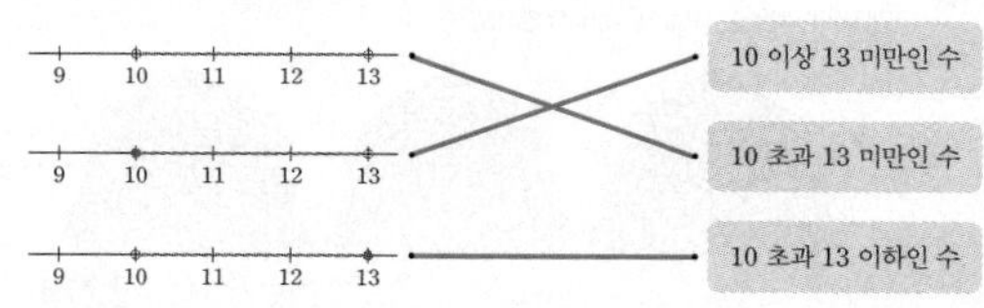

✤ 이상, 이하는 경곗값을 포함하므로 ●으로 표시하고, 초과, 미만은 경곗값을 포함하지 않으므로 ○으로 표시합니다.

7 반올림하여 주어진 자리까지 나타내어 보세요.

수	십의 자리	백의 자리	천의 자리
2458	2460	2500	2000

✤ 2458 ➔ 2460 (8이므로 올림합니다.)
2458 ➔ 2500 (5이므로 올림합니다.)
2485 ➔ 2000 (4이므로 버림합니다.)

정답과 풀이 p.12

8 43을 포함하는 수의 범위를 모두 찾아 기호를 써 보세요.

㉠ 44 이상 46 이하인 수 ㉡ 43 이상 47 미만인 수
㉢ 40 초과 45 미만인 수 ㉣ 44 초과 49 이하인 수

(㉡, ㉢)

✤ ㉡ 43 이상이므로 43을 포함합니다.
㉢ 40보다 크고 45보다 작은 수이므로 43을 포함합니다.

9 어림한 수의 크기를 비교하여 ○ 안에 >, =, <를 알맞게 써넣으세요.

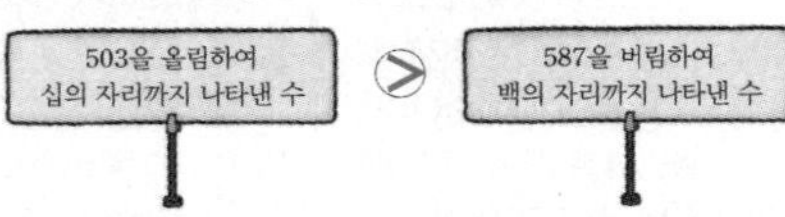

✤ 503을 올림하여 십의 자리까지 나타내면 503 ➔ 510이고,
587을 버림하여 백의 자리까지 나타내면 587 ➔ 500입니다.
➔ 510 > 500

10 반올림하여 백의 자리까지 나타낸 수가 다른 하나를 찾아 기호를 써 보세요.

㉠ 2381 ㉡ 2415 ㉢ 2409 ㉣ 2348

(㉣)

✤ ㉠ 2381 ➔ 2400 ㉡ 2415 ➔ 2400
㉢ 2409 ➔ 2400 ㉣ 2348 ➔ 2300

11 30 초과 38 미만인 수는 모두 몇 개일까요?

38 40 33 36 30

(2개)

✤ 30 초과 38 미만인 수는 30보다 크고 38보다 작은 수입니다.
➔ 33, 36으로 2개입니다.

[12~13] 민호네 모둠 학생들의 몸무게를 나타낸 표입니다. 물음에 답하세요.

민호네 모둠 학생들의 몸무게

이름	몸무게	이름	몸무게
민호	52 kg	가영	41 kg
연지	45 kg	효정	39 kg
남재	50 kg	빈우	40 kg

12 몸무게가 42 kg 초과인 학생의 이름을 모두 써 보세요.

(민호, 연지, 남재)

✤ 42 초과인 수는 42보다 큰 수이므로 52, 45, 50입니다.
따라서 몸무게가 42 kg 초과인 학생은 민호, 연지, 남재입니다.

13 몸무게가 40 kg 이상 44 kg 미만인 학생은 몇 명일까요?

(2명)

✤ 40 이상 44 미만인 수는 40과 같거나 크고 44보다 작은 수이므로 41, 40입니다.
따라서 몸무게가 40 kg 이상 44 kg 미만인 학생은 가영, 빈우로 2명입니다.

14 귤 536개를 한 봉지에 10개씩 담아 판다면 팔 수 있는 귤은 최대 몇 봉지일까요?

(53봉지)

✤ 봉지에 넣은 귤이 10개보다 적으면 팔 수 없으므로 버림으로 어림합니다.
536 ➔ 530이므로 53봉지에 10개씩 담고 남은 6개는 팔 수 없습니다.
따라서 팔 수 있는 귤은 최대 53봉지입니다.

Test 종합평가 1. 수의 범위와 어림하기

정답과 풀이 p.12

15 3장의 수 카드 중 2장을 골라 한 번씩만 사용하여 50 미만인 두 자리 수를 모두 만들어 보세요.

5 0 2

(20, 25)

✤ 50 미만인 수 ➔ 50보다 작은 수
수 카드로 만들 수 있는 50보다 작은 두 자리 수는 20, 25입니다.

16 텐트 한 개에 10명까지 들어갈 수 있습니다. 민주네 학교 학생 215명이 모두 텐트에서 잠을 자려면 텐트는 최소 몇 개 필요할까요?

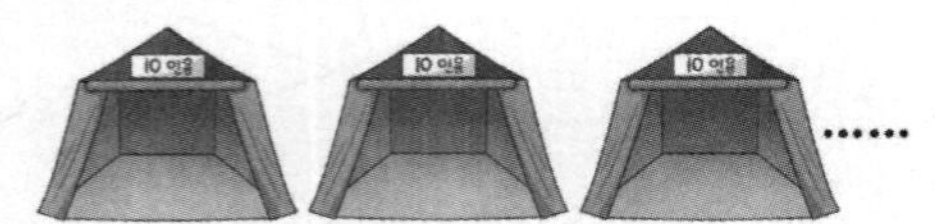

(22개)

✤ 텐트 한 개에 10명까지 들어갈 수 있고 남는 사람이 없어야 하므로 올림으로 어림합니다.
215 ➔ 220이므로 텐트는 최소 22개 필요합니다.

17 버림하여 십의 자리까지 나타내었을 때 470이 되는 자연수 중에서 가장 작은 수와 가장 큰 수를 각각 구해 보세요.

가장 작은 수 (470)
가장 큰 수 (479)

✤ 버림하여 십의 자리까지 나타내면 470이 되는 자연수는 470, 471, 472, 473, 474, 475, 476, 477, 478, 479이므로 가장 작은 수는 470이고, 가장 큰 수는 479입니다.

정답과 풀이 p.12

1 민수네 가족이 놀이공원에 놀러 갔습니다. 아빠와 엄마는 45살이고, 민수는 15살, 현수는 14살, 리아는 10살입니다. 민수네 가족이 전부 놀이공원에 들어가는 데 필요한 돈은 모두 얼마인지 구해 보세요.

아빠
엄마
민수
현수
리아
매표소
입장권 판매
어른 : 9000원
어른 : 20세 이상
청소년: 5000원
청소년: 14세 이상 20세 미만
어린이: 3000원
어린이: 14세 미만

(1) □ 안에 어른, 청소년, 어린이를 각각 알맞게 써넣으세요.

어른 | 어른 | 청소년 | 청소년 | 어린이

✤ 아빠, 엄마는 20세 이상이므로 어른입니다.
민수와 현수는 14세 이상 20세 미만이므로 청소년입니다.
리아는 14세 미만이므로 어린이입니다.

(2) 민수네 가족이 놀이공원에 들어가는 데 필요한 돈은 모두 얼마일까요?

(31000원)

✤ 어른 2명, 청소년 2명, 어린이 1명이므로
$9000 \times 2 + 5000 \times 2 + 3000 = 31000$(원)입니다.

(3) 민수네 가족의 입장료를 10000원짜리 지폐로만 내려면 최소 얼마가 필요할까요?

(40000원)

✤ 31000을 올림하여 만의 자리까지 나타내면 31000 ➔ 40000이므로 최소 40000원이 필요합니다.

2 분수의 곱셈

분수 막대를 이용한 분수의 곱셈

분수 막대를 이용하여 여러 가지 분수를 표현할 수 있고 분수의 곱셈 원리를 이해할 수 있습니다. 그럼 (단위분수)×(자연수)의 계산 원리를 알아볼까요?

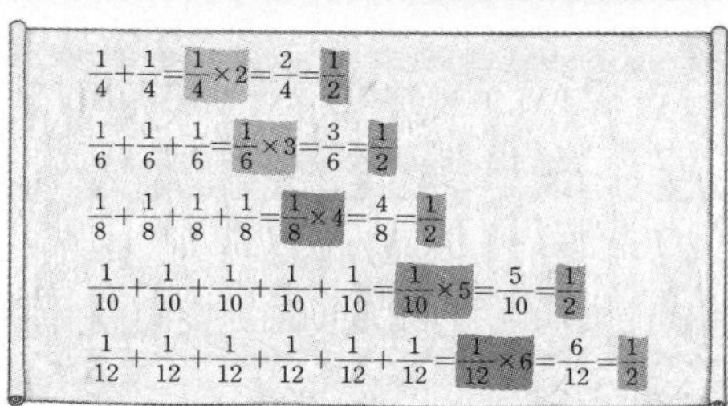

$\frac{1}{4}+\frac{1}{4}=\frac{1}{4}\times2=\frac{2}{4}=\frac{1}{2}$

$\frac{1}{6}+\frac{1}{6}+\frac{1}{6}=\frac{1}{6}\times3=\frac{3}{6}=\frac{1}{2}$

$\frac{1}{8}+\frac{1}{8}+\frac{1}{8}+\frac{1}{8}=\frac{1}{8}\times4=\frac{4}{8}=\frac{1}{2}$

$\frac{1}{10}+\frac{1}{10}+\frac{1}{10}+\frac{1}{10}+\frac{1}{10}=\frac{1}{10}\times5=\frac{5}{10}=\frac{1}{2}$

$\frac{1}{12}+\frac{1}{12}+\frac{1}{12}+\frac{1}{12}+\frac{1}{12}+\frac{1}{12}=\frac{1}{12}\times6=\frac{6}{12}=\frac{1}{2}$

분수 막대에서 보면 $\frac{1}{4}$ 막대가 2개인 양은 $\frac{1}{2}$ 막대 1개인 양과 같아요.

$\frac{1}{6}$ 막대가 3개인 양, $\frac{1}{8}$ 막대가 4개인 양, $\frac{1}{10}$ 막대가 5개인 양, $\frac{1}{12}$ 막대가 6개인 양도 각각 $\frac{1}{2}$ 막대 1개인 양과 같다는 걸 알 수 있어요. 따라서 다음과 같은 식이 성립합니다.

$$\frac{1}{4}\times2=\frac{1}{6}\times3=\frac{1}{8}\times4=\frac{1}{10}\times5=\frac{1}{12}\times6=\frac{1}{2}$$

분수 막대를 보고 □ 안에 알맞은 수를 써넣으세요.

$\frac{1}{6}+\frac{1}{6}=\frac{1}{6}\times\boxed{2}=\frac{\boxed{2}}{6}=\frac{\boxed{1}}{3}$

$\frac{1}{9}+\frac{1}{9}+\frac{1}{9}=\frac{1}{9}\times\boxed{3}=\frac{\boxed{3}}{9}=\frac{\boxed{1}}{3}$

$\frac{1}{12}+\frac{1}{12}+\frac{1}{12}+\frac{1}{12}=\frac{1}{12}\times\boxed{4}=\frac{\boxed{4}}{12}=\frac{\boxed{1}}{3}$

$$\frac{1}{6}\times2=\frac{1}{9}\times\boxed{3}=\frac{1}{12}\times\boxed{4}=\frac{1}{3}$$

✣ $\frac{1}{6}\times2$는 $\frac{1}{6}$ 막대가 2개, $\frac{1}{9}\times3$은 $\frac{1}{9}$ 막대가 3개, $\frac{1}{12}\times4$는 $\frac{1}{12}$ 막대가 4개인 양으로 각각 $\frac{1}{3}$과 같습니다.

1단계 교과서 개념 잡기

개념 1 (진분수)×(자연수)

- $\frac{1}{5}\times2$의 계산

$\frac{1}{5}\times2=\frac{1}{5}+\frac{1}{5}=\frac{1\times2}{5}=\frac{2}{5}$

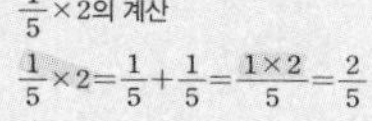

- $\frac{4}{9}\times3$의 계산

방법 1 분자와 자연수를 곱한 후, 분모와 분자를 약분하여 계산하기

$\frac{4}{9}\times3=\frac{4\times3}{9}=\frac{\overset{4}{\cancel{12}}}{\underset{3}{\cancel{9}}}=\frac{4}{3}=1\frac{1}{3}$

방법 2 분자와 자연수를 곱하기 전, 분모와 분자를 약분하여 계산하기

$\frac{4}{9}\times3=\frac{4\times\overset{1}{\cancel{3}}}{\underset{3}{\cancel{9}}}=\frac{4}{3}=1\frac{1}{3}$

방법 3 (분수)×(자연수)의 식에서 분모와 자연수를 약분하여 계산하기

$\frac{4}{\underset{3}{\cancel{9}}}\times\overset{1}{\cancel{3}}=\frac{4}{3}=1\frac{1}{3}$

(진분수)×(자연수)는 분수의 분모는 그대로 두고 분자와 자연수를 곱하여 계산합니다.

개념 2 (대분수)×(자연수)

- $1\frac{2}{3}\times2$의 계산

방법 1 대분수를 가분수로 나타내어 계산하기

$1\frac{2}{3}\times2=\frac{5}{3}\times2=\frac{5\times2}{3}=\frac{10}{3}=3\frac{1}{3}$

대분수 → 가분수

방법 2 대분수를 자연수와 진분수의 합으로 바꾸어 계산하기

$1\frac{2}{3}\times2=(1\times2)+\left(\frac{2}{3}\times2\right)=2+\frac{4}{3}=2+1\frac{1}{3}=3\frac{1}{3}$

$1+\frac{2}{3}$

참고 대분수를 가분수로 나타내기 전에 분모와 자연수를 약분하지 않도록 주의합니다.

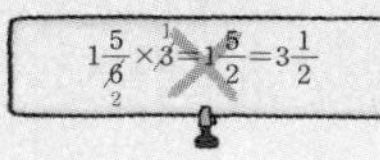

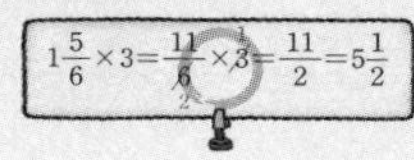

$1\frac{5}{6}\times3=\frac{11}{\underset{2}{\cancel{6}}}\times\overset{1}{\cancel{3}}=\frac{11}{2}=5\frac{1}{2}$

개념 확인 문제

정답과 풀이 p.13

1-1 $\frac{7}{12}\times4$를 여러 가지 방법으로 계산한 것입니다. □ 안에 알맞은 수를 써넣으세요.

방법 1 $\frac{7}{12}\times4=\frac{7\times4}{12}=\frac{\overset{\boxed{7}}{\cancel{28}}}{\underset{\boxed{3}}{\cancel{12}}}=\frac{\boxed{7}}{\boxed{3}}=\boxed{2}\frac{\boxed{1}}{\boxed{3}}$

방법 2 $\frac{7}{12}\times4=\frac{7\times\overset{\boxed{1}}{\cancel{4}}}{\underset{\boxed{3}}{\cancel{12}}}=\frac{\boxed{7}}{\boxed{3}}=\boxed{2}\frac{\boxed{1}}{\boxed{3}}$

방법 3 $\frac{7}{\underset{\boxed{3}}{\cancel{12}}}\times\overset{\boxed{1}}{\cancel{4}}=\frac{\boxed{7}}{\boxed{3}}=\boxed{2}\frac{\boxed{1}}{\boxed{3}}$

✣ 방법 1 분자와 자연수를 곱한 후, 분모와 분자를 4로 약분하여 계산한 것입니다.
방법 2 분자와 자연수를 곱하기 전, 분모와 분자를 4로 약분하여 계산한 것입니다.
방법 3 (분수)×(자연수)의 식에서 분모와 자연수를 4로 약분하여 계산한 것입니다.

3주 교과서

1-2 계산해 보세요.

(1) $\frac{2}{7}\times3=\frac{6}{7}$ (2) $\frac{7}{18}\times15=5\frac{5}{6}$

✣ (1) $\frac{2}{7}\times3=\frac{2\times3}{7}=\frac{6}{7}$ (2) $\frac{7}{\underset{6}{\cancel{18}}}\times\overset{5}{\cancel{15}}=\frac{35}{6}=5\frac{5}{6}$

2-1 $1\frac{2}{9}\times3$을 두 가지 방법으로 계산한 것입니다. □ 안에 알맞은 수를 써넣으세요.

방법 1 $1\frac{2}{9}\times3=\frac{\boxed{11}}{9}\times3=\frac{\boxed{11}\times\overset{1}{\cancel{3}}}{\underset{3}{\cancel{9}}}=\frac{\boxed{11}}{3}=\boxed{3}\frac{\boxed{2}}{\boxed{3}}$

방법 2 $1\frac{2}{9}\times3=(1\times\boxed{3})+\left(\frac{\boxed{2}}{\underset{3}{\cancel{9}}}\times\overset{1}{\cancel{3}}\right)=\boxed{3}+\frac{\boxed{2}}{\boxed{3}}=\boxed{3}\frac{\boxed{2}}{\boxed{3}}$

✣ 방법 1 대분수를 가분수로 나타내어 계산한 것입니다.
방법 2 대분수를 자연수와 진분수의 합으로 바꾸어 계산한 것입니다.

2-2 두 수의 곱을 구해 보세요.

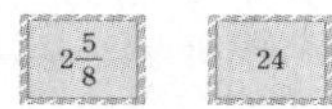

(63)

✣ $2\frac{5}{8}\times24=\frac{21}{\underset{1}{\cancel{8}}}\times\overset{3}{\cancel{24}}=63$

개념 3 (자연수)×(진분수)

- $12\times\frac{2}{3}$를 그림으로 계산하기

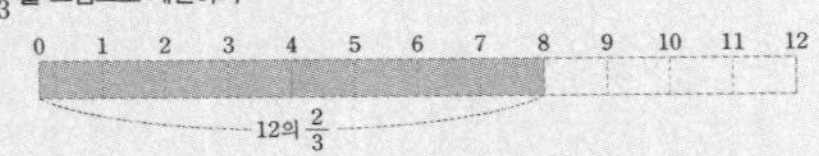

$12\times\frac{1}{3}$은 12를 3등분한 것 중 1이므로 $12\times\frac{1}{3}=4$입니다.

$12\times\frac{2}{3}$는 12를 3등분한 것 중 2이므로 $12\times\frac{2}{3}=8$입니다.

- $8\times\frac{5}{6}$의 계산

방법 1 자연수와 분자를 곱한 후, 분모와 분자를 약분하여 계산하기

$8\times\frac{5}{6}=\frac{8\times5}{6}=\frac{\overset{20}{\cancel{40}}}{\underset{3}{\cancel{6}}}=\frac{20}{3}=6\frac{2}{3}$

방법 2 자연수와 분자를 곱하기 전, 분모와 분자를 약분하여 계산하기

$8\times\frac{5}{6}=\frac{\overset{4}{\cancel{8}}\times5}{\underset{3}{\cancel{6}}}=\frac{20}{3}=6\frac{2}{3}$

방법 3 (자연수)×(분수)의 식에서 자연수와 분모를 약분하여 계산하기

$\overset{4}{\cancel{8}}\times\frac{5}{\underset{3}{\cancel{6}}}=\frac{20}{3}=6\frac{2}{3}$

(자연수)×(진분수)는 분수의 분모는 그대로 두고 자연수와 분자를 곱하여 계산합니다.

개념 4 (자연수)×(대분수)

- $6\times1\frac{3}{4}$의 계산

방법 1 대분수를 가분수로 나타내어 계산하기

$6\times1\frac{3}{4}=\overset{3}{\cancel{6}}\times\frac{7}{\underset{2}{\cancel{4}}}=\frac{21}{2}=10\frac{1}{2}$

방법 2 대분수를 자연수와 진분수의 합으로 바꾸어 계산하기

$6\times1\frac{3}{4}=(6\times1)+(\overset{3}{\cancel{6}}\times\frac{3}{\underset{2}{\cancel{4}}})=6+\frac{9}{2}=6+4\frac{1}{2}=10\frac{1}{2}$ ($1+\frac{3}{4}$)

개념 확인 문제

정답과 풀이 p.14

3-1 $9\times\frac{8}{21}$을 여러 가지 방법으로 계산한 것입니다. □ 안에 알맞은 수를 써넣으세요.

방법 1 $9\times\frac{8}{21}=\frac{9\times8}{21}=\frac{\overset{24}{\cancel{72}}}{\underset{7}{\cancel{21}}}=\frac{24}{7}=3\frac{3}{7}$

방법 2 $9\times\frac{8}{21}=\frac{\overset{3}{\cancel{9}}\times8}{\underset{7}{\cancel{21}}}=\frac{24}{7}=3\frac{3}{7}$

방법 3 $\overset{3}{\cancel{9}}\times\frac{8}{\underset{7}{\cancel{21}}}=\frac{24}{7}=3\frac{3}{7}$

✣ 방법 1 자연수와 분자를 곱한 후, 분모와 분자를 3으로 약분하여 계산한 것입니다.
방법 2 자연수와 분자를 곱하기 전, 분모와 분자를 3으로 약분하여 계산한 것입니다.
방법 3 (자연수)×(분수)의 식에서 자연수와 분모를 3으로 약분하여 계산한 것입니다.

3-2 빈칸에 알맞은 수를 써넣으세요.

10	$\frac{5}{6}$	$8\frac{1}{3}$

✣ $\overset{5}{\cancel{10}}\times\frac{5}{\underset{3}{\cancel{6}}}=\frac{25}{3}=8\frac{1}{3}$

4-1 $3\times1\frac{2}{3}$를 계산하려고 합니다. 그림을 보고 □ 안에 알맞은 수를 써넣으세요.

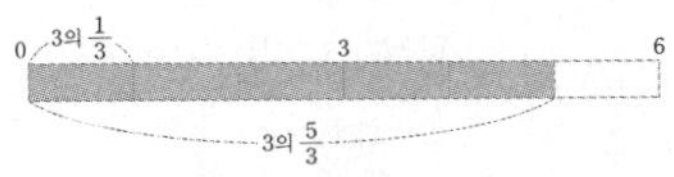

$3\times1\frac{2}{3}=3\times\frac{5}{3}=\frac{3\times5}{3}=\frac{15}{3}=5$

✣ $1\frac{2}{3}$를 가분수로 나타낸 후, 3을 곱하여 계산합니다.

4-2 계산해 보세요.

(1) $4\times2\frac{1}{3}=9\frac{1}{3}$　　(2) $8\times1\frac{3}{10}=10\frac{2}{5}$

✣ (1) $4\times2\frac{1}{3}=4\times\frac{7}{3}=\frac{28}{3}=9\frac{1}{3}$

(2) $8\times1\frac{3}{10}=\overset{4}{\cancel{8}}\times\frac{13}{\underset{5}{\cancel{10}}}=\frac{52}{5}=10\frac{2}{5}$

3주 교과서

1 단계 교과서 개념 잡기

개념 5 진분수의 곱셈

- (단위분수)×(단위분수)

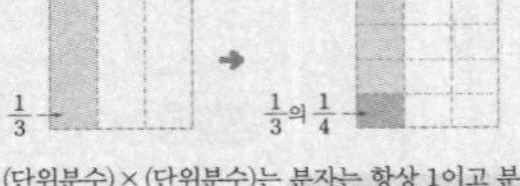

분자는 항상 1: $\frac{1}{3}\times\frac{1}{4}=\frac{1}{3\times4}=\frac{1}{12}$ 분모끼리의 곱

→ (단위분수)×(단위분수)는 분자는 항상 1이고 분모끼리 곱합니다.

- (진분수)×(단위분수)

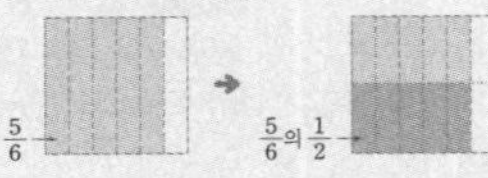

분자는 그대로: $\frac{5}{6}\times\frac{1}{2}=\frac{5}{6\times2}=\frac{5}{12}$ 분모끼리의 곱

→ (진분수)×(단위분수)는 진분수의 분자는 그대로 두고 분모끼리 곱합니다.

- (진분수)×(진분수)

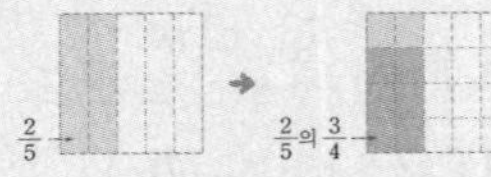

$\frac{2}{5}\times\frac{3}{4}=\frac{2\times3}{5\times4}=\frac{\overset{3}{\cancel{6}}}{\underset{10}{\cancel{20}}}=\frac{3}{10}$

→ (진분수)×(진분수)는 분자는 분자끼리, 분모는 분모끼리 곱합니다.

참고 $\frac{2}{5}\times\frac{3}{4}=\frac{\overset{1}{\cancel{2}}\times3}{5\times\underset{2}{\cancel{4}}}=\frac{3}{10}$ 또는 $\frac{\overset{1}{\cancel{2}}}{5}\times\frac{3}{\underset{2}{\cancel{4}}}=\frac{3}{10}$과 같이 계산할 수도 있습니다.

- 세 분수의 곱셈

$\frac{3}{5}\times\frac{2}{3}\times\frac{7}{8}=\frac{3\times2\times7}{5\times3\times8}=\frac{\overset{7}{\cancel{42}}}{\underset{20}{\cancel{120}}}=\frac{7}{20}$

→ 세 분수의 곱셈은 분자는 분자끼리, 분모는 분모끼리 곱합니다.

참고 $\frac{3}{5}\times\frac{2}{3}\times\frac{7}{8}=\frac{\overset{1}{\cancel{3}}\times\overset{1}{\cancel{2}}\times7}{5\times\underset{1}{\cancel{3}}\times\underset{4}{\cancel{8}}}=\frac{7}{20}$ 또는 $\frac{\overset{1}{\cancel{3}}}{5}\times\frac{\overset{1}{\cancel{2}}}{\underset{1}{\cancel{3}}}\times\frac{7}{\underset{4}{\cancel{8}}}=\frac{7}{20}$과 같이 계산할 수도 있습니다.

개념 확인 문제

정답과 풀이 p.14

5-1 그림을 보고 □ 안에 알맞은 수를 써넣으세요.

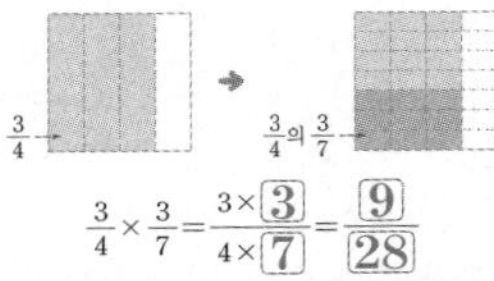

$\frac{3}{4}\times\frac{3}{7}=\frac{3\times3}{4\times7}=\frac{9}{28}$

✣ 분모끼리 곱하면 전체의 나누어진 칸의 수가 나오며, 분자끼리 곱하면 진하게 색칠된 부분의 칸의 수가 나옵니다.

5-2 □ 안에 알맞은 수를 써넣으세요.

(1) $\frac{4}{7}\times\frac{1}{3}=\frac{4\times1}{7\times3}=\frac{4}{21}$　　(2) $\frac{5}{8}\times\frac{3}{5}=\frac{\overset{1}{\cancel{5}}\times3}{8\times\underset{1}{\cancel{5}}}=\frac{3}{8}$

✣ (1) $\frac{4}{7}\times\frac{1}{3}=\frac{4\times1}{7\times3}=\frac{4}{21}$　(2) $\frac{5}{8}\times\frac{3}{5}=\frac{\overset{1}{\cancel{5}}\times3}{8\times\underset{1}{\cancel{5}}}=\frac{3}{8}$

5-3 계산해 보세요.

$\frac{1}{5}\times\frac{1}{3}\times\frac{5}{8}$　　($\frac{1}{24}$)

✣ $\frac{1}{\underset{1}{\cancel{5}}}\times\frac{1}{3}\times\frac{\overset{1}{\cancel{5}}}{8}=\frac{1}{24}$

5-4 빈 곳에 알맞은 수를 써넣으세요.

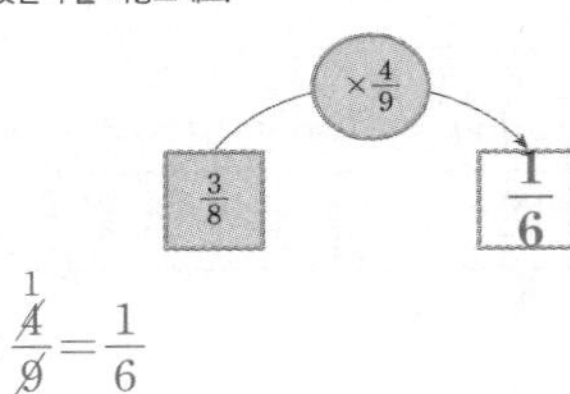

✣ $\frac{\overset{1}{\cancel{3}}}{\underset{2}{\cancel{8}}}\times\frac{\overset{1}{\cancel{4}}}{\underset{3}{\cancel{9}}}=\frac{1}{6}$

3주 교과서

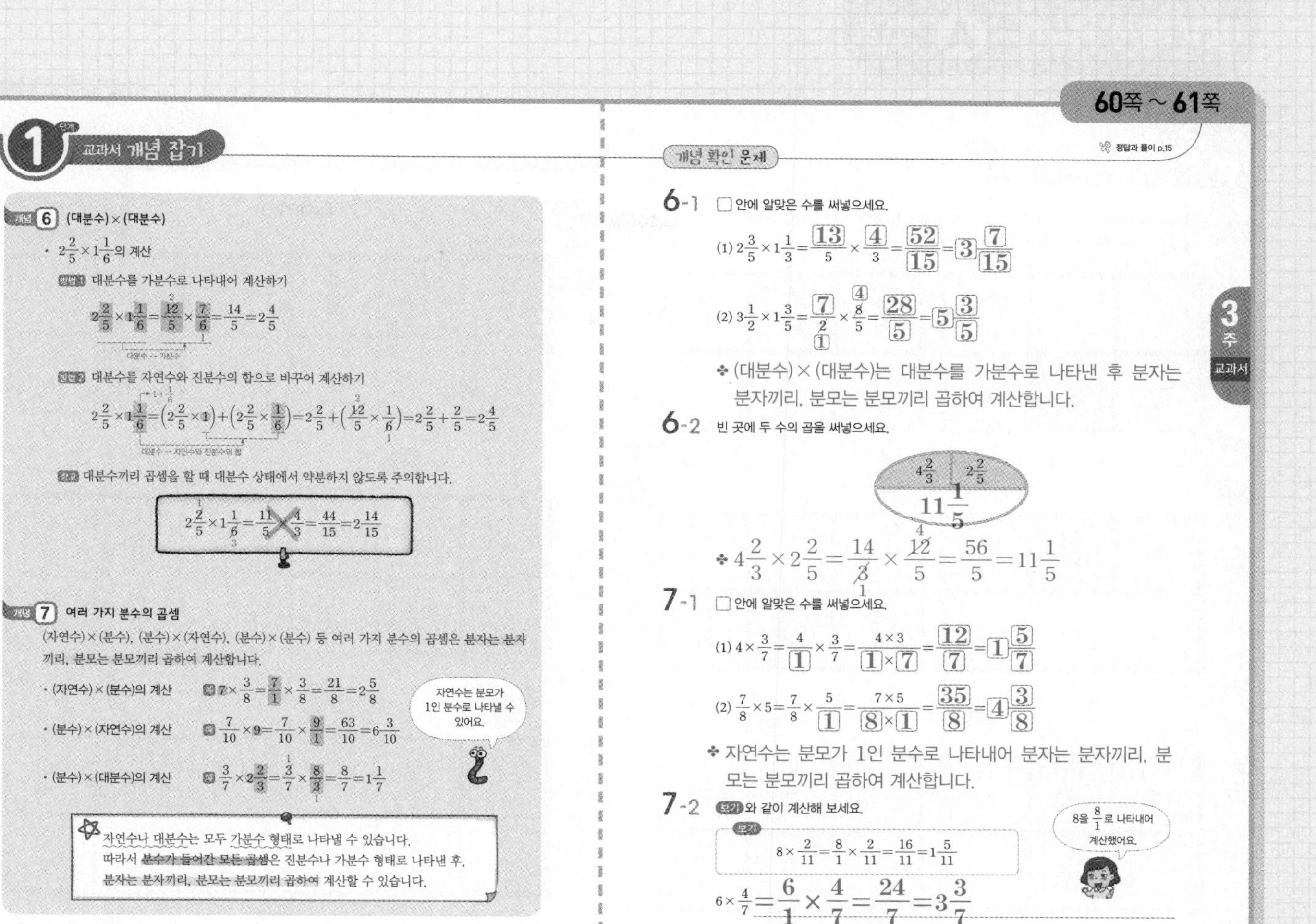

60쪽 ~ 61쪽

1단계 교과서 개념 잡기

개념 6 (대분수)×(대분수)

- $2\frac{2}{5}\times1\frac{1}{6}$의 계산

방법 1 대분수를 가분수로 나타내어 계산하기

$2\frac{2}{5}\times1\frac{1}{6}=\frac{12}{5}\times\frac{7}{6}=\frac{14}{5}=2\frac{4}{5}$

대분수 → 가분수

방법 2 대분수를 자연수와 진분수의 합으로 바꾸어 계산하기

$2\frac{2}{5}\times1\frac{1}{6}=\left(2\frac{2}{5}\times1\right)+\left(2\frac{2}{5}\times\frac{1}{6}\right)=2\frac{2}{5}+\left(\frac{12}{5}\times\frac{1}{6}\right)=2\frac{2}{5}+\frac{2}{5}=2\frac{4}{5}$

대분수 → 자연수와 진분수의 합

주의 대분수끼리 곱셈을 할 때 대분수 상태에서 약분하지 않도록 주의합니다.

$2\frac{2}{5}\times1\frac{1}{6}=\frac{11}{5}\times\frac{4}{3}=\frac{44}{15}=2\frac{14}{15}$ (✕)

개념 7 여러 가지 분수의 곱셈

(자연수)×(분수), (분수)×(자연수), (분수)×(분수) 등 여러 가지 분수의 곱셈은 분자는 분자끼리, 분모는 분모끼리 곱하여 계산합니다.

- (자연수)×(분수)의 계산 예 $7\times\frac{3}{8}=\frac{7}{1}\times\frac{3}{8}=\frac{21}{8}=2\frac{5}{8}$
- (분수)×(자연수)의 계산 예 $\frac{7}{10}\times9=\frac{7}{10}\times\frac{9}{1}=\frac{63}{10}=6\frac{3}{10}$
- (분수)×(대분수)의 계산 예 $\frac{3}{7}\times2\frac{2}{3}=\frac{3}{7}\times\frac{8}{3}=\frac{8}{7}=1\frac{1}{7}$

자연수는 분모가 1인 분수로 나타낼 수 있어요.

자연수나 대분수는 모두 가분수 형태로 나타낼 수 있습니다. 따라서 분수가 들어간 모든 곱셈은 진분수나 가분수 형태로 나타낸 후, 분자는 분자끼리, 분모는 분모끼리 곱하여 계산할 수 있습니다.

60 · Run-A 5-2

개념 확인 문제

정답과 풀이 p.15

6-1 □ 안에 알맞은 수를 써넣으세요.

(1) $2\frac{3}{5}\times1\frac{1}{3}=\frac{13}{5}\times\frac{4}{3}=\frac{52}{15}=3\frac{7}{15}$

(2) $3\frac{1}{2}\times1\frac{3}{5}=\frac{7}{2}\times\frac{8}{5}=\frac{28}{5}=5\frac{3}{5}$

✤ (대분수)×(대분수)는 대분수를 가분수로 나타낸 후 분자는 분자끼리, 분모는 분모끼리 곱하여 계산합니다.

6-2 빈 곳에 두 수의 곱을 써넣으세요.

$4\frac{2}{3}$, $2\frac{2}{5}$ → $11\frac{1}{5}$

✤ $4\frac{2}{3}\times2\frac{2}{5}=\frac{14}{3}\times\frac{12}{5}=\frac{56}{5}=11\frac{1}{5}$

7-1 □ 안에 알맞은 수를 써넣으세요.

(1) $4\times\frac{3}{7}=\frac{4}{1}\times\frac{3}{7}=\frac{4\times3}{1\times7}=\frac{12}{7}=1\frac{5}{7}$

(2) $\frac{7}{8}\times5=\frac{7}{8}\times\frac{5}{1}=\frac{7\times5}{8\times1}=\frac{35}{8}=4\frac{3}{8}$

✤ 자연수는 분모가 1인 분수로 나타내어 분자는 분자끼리, 분모는 분모끼리 곱하여 계산합니다.

7-2 보기 와 같이 계산해 보세요.

보기 $8\times\frac{2}{11}=\frac{8}{1}\times\frac{2}{11}=\frac{16}{11}=1\frac{5}{11}$

8을 $\frac{8}{1}$로 나타내어 계산했어요.

$6\times\frac{4}{7}=\frac{6}{1}\times\frac{4}{7}=\frac{24}{7}=3\frac{3}{7}$

2. 분수의 곱셈 · 61

✤ 6을 가분수 $\frac{6}{1}$으로 나타내어 분자는 분자끼리, 분모는 분모끼리 곱하여 계산합니다.

62쪽 ~ 63쪽

PLAY 교과서 개념 스토리 좋아하는 동이 풍선 찾기

붙임딱지

놀이 공원에서 친구들이 좋아하는 동이 풍선을 찾고 있습니다. 친구들이 말하는 몸무게에 알맞은 동이 풍선 붙임딱지를 붙여 보세요.

✤ $21\frac{1}{4}\times2=\frac{85}{4}\times2=\frac{85}{2}=42\frac{1}{2}$ (kg)

✤ $26\frac{2}{3}\times3=\frac{80}{3}\times3=80$ (kg)

✤ $36\times\frac{2}{9}=8$ (kg)

✤ $24\frac{1}{2}\times\frac{3}{7}=\frac{49}{2}\times\frac{3}{7}=\frac{21}{2}=10\frac{1}{2}$ (kg)

✤ $32\frac{1}{2}\times\frac{2}{5}=\frac{65}{2}\times\frac{2}{5}=13$ (kg)

✤ $40\frac{4}{9}\times\frac{3}{8}=\frac{364}{9}\times\frac{3}{8}=\frac{91}{6}=15\frac{1}{6}$ (kg)

✤ $44\times\frac{4}{11}=16$ (kg)

✤ $25\times1\frac{2}{5}=25\times\frac{7}{5}=35$ (kg)

✤ $42\times\frac{4}{7}=24$ (kg)

✤ $24\frac{1}{6}\times1\frac{1}{5}=\frac{145}{6}\times\frac{6}{5}=29$ (kg)

✤ $30\frac{2}{3}\times\frac{1}{4}=\frac{92}{3}\times\frac{1}{4}=\frac{23}{3}=7\frac{2}{3}$ (kg)

62 Run-A 5-2 · 2. 분수의 곱셈 · 63

64쪽 ~ 65쪽

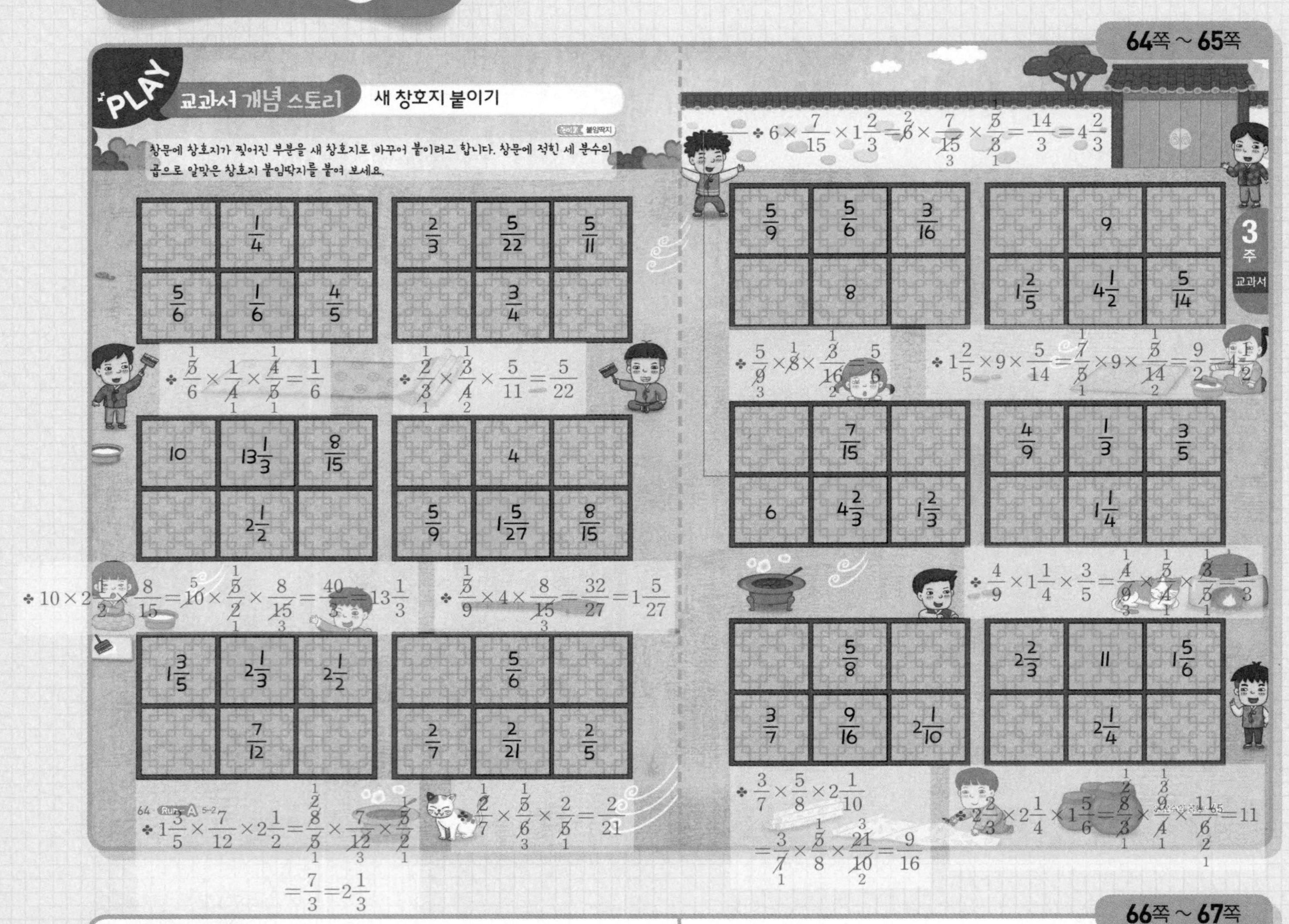

66쪽 ~ 67쪽

2단계 교과서 개념 다지기

정답과 풀이 p.16

개념 1 (진분수)×(자연수)

01 계산 결과를 찾아 이어 보세요.

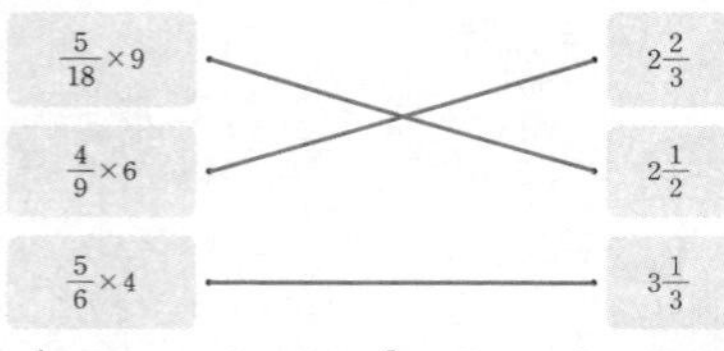

✤ $\frac{5}{18}\times9=\frac{5}{2}=2\frac{1}{2}$, $\frac{4}{9}\times6=\frac{8}{3}=2\frac{2}{3}$, $\frac{5}{6}\times4=\frac{10}{3}=3\frac{1}{3}$

02 빈칸에 알맞은 수를 써넣으세요.

⊗		
$\frac{3}{4}$	9	$6\frac{3}{4}$
$\frac{5}{8}$	12	$7\frac{1}{2}$

✤ • $\frac{3}{4}\times9=\frac{27}{4}=6\frac{3}{4}$ • $\frac{5}{8}\times12=\frac{15}{2}=7\frac{1}{2}$

03 끈을 사용하여 그림과 같이 한 변의 길이가 $\frac{2}{9}$ m인 정삼각형을 한 개 만들었습니다. 만든 정삼각형의 둘레는 몇 m인지 구해 보세요.

($\frac{2}{3}$ m)

✤ (정삼각형의 둘레)=(한 변의 길이)×(변의 수) $=\frac{2}{9}\times3=\frac{2}{3}$ (m)

개념 2 (대분수)×(자연수)

04 보기 와 같이 계산해 보세요.

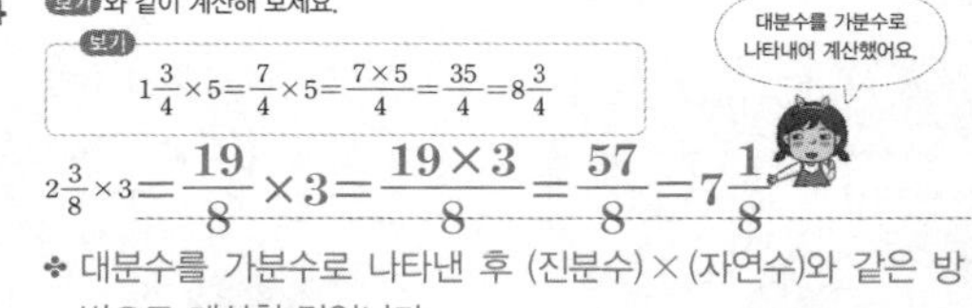

$2\frac{3}{8}\times3=\frac{19}{8}\times3=\frac{19\times3}{8}=\frac{57}{8}=7\frac{1}{8}$

✤ 대분수를 가분수로 나타낸 후 (진분수)×(자연수)와 같은 방법으로 계산한 것입니다.

05 계산해 보세요.

(1) $1\frac{1}{6}\times8=9\frac{1}{3}$ (2) $2\frac{3}{10}\times5=11\frac{1}{2}$

✤ (1) $1\frac{1}{6}\times8=\frac{7}{6}\times8=\frac{28}{3}=9\frac{1}{3}$ (2) $2\frac{3}{10}\times5=\frac{23}{10}\times5=\frac{23}{2}=11\frac{1}{2}$

06 빈칸에 알맞은 수를 써넣으세요.

⊗		
$2\frac{3}{8}$	4	$9\frac{1}{2}$
$1\frac{4}{15}$	5	$6\frac{1}{3}$

✤ • $2\frac{3}{8}\times4=\frac{19}{8}\times4=\frac{19}{2}=9\frac{1}{2}$ • $1\frac{4}{15}\times5=\frac{19}{15}\times5=\frac{19}{3}=6\frac{1}{3}$

07 준우가 가지고 있는 고무줄의 길이는 모두 몇 m인지 식을 쓰고 답을 구해 보세요.

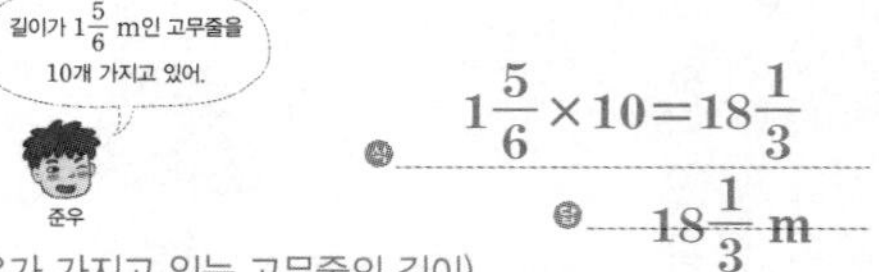

길이가 $1\frac{5}{6}$ m인 고무줄을 10개 가지고 있어.
준우

식 $1\frac{5}{6}\times10=18\frac{1}{3}$

답 $18\frac{1}{3}$ m

✤ (준우가 가지고 있는 고무줄의 길이) $=1\frac{5}{6}\times10=\frac{11}{6}\times10=\frac{55}{3}=18\frac{1}{3}$ (m)

66 · Run-A 5-2 2. 분수의 곱셈 · 67

3주 교과서

정답과 풀이 p.17

개념 3 (자연수)×(진분수)

08 두 수의 곱을 구해 보세요.

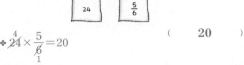

24 $\frac{5}{6}$

(20)

✤ $\overset{4}{\cancel{24}}\times\frac{5}{\underset{1}{\cancel{6}}}=20$

09 빈 곳에 알맞은 수를 써넣으세요.

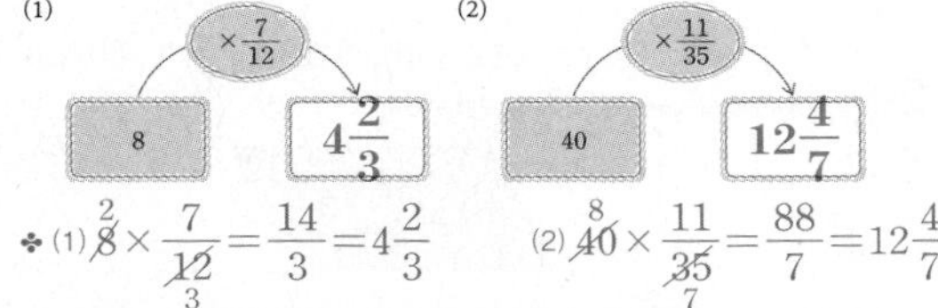

✤ (1) $\overset{2}{\cancel{8}}\times\frac{7}{\underset{3}{\cancel{12}}}=\frac{14}{3}=4\frac{2}{3}$ (2) $\overset{8}{\cancel{40}}\times\frac{11}{\underset{7}{\cancel{35}}}=\frac{88}{7}=12\frac{4}{7}$

10 강호와 예지가 수학 숙제를 하고 있습니다. 잘못 계산한 친구의 이름을 써 보세요.

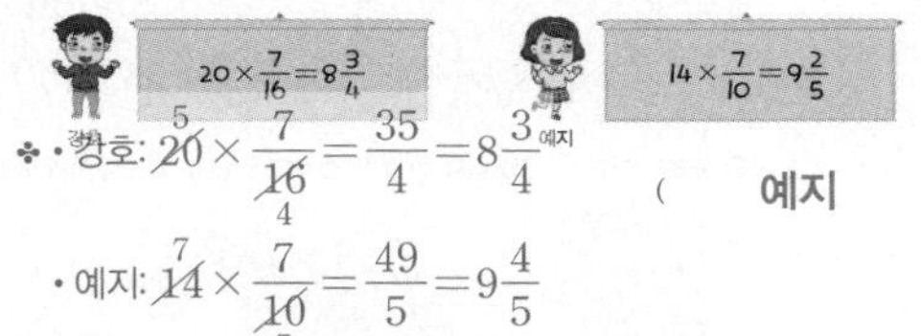

(예지)

✤ • 강호: $\overset{5}{\cancel{20}}\times\frac{7}{\underset{4}{\cancel{16}}}=\frac{35}{4}=8\frac{3}{4}$

• 예지: $\overset{7}{\cancel{14}}\times\frac{7}{\underset{5}{\cancel{10}}}=\frac{49}{5}=9\frac{4}{5}$

11 현수는 길이가 27 m인 끈의 $\frac{2}{9}$를 사용했습니다. 사용한 끈의 길이는 몇 m일까요?

(6 m)

✤ (사용한 끈의 길이)$=\overset{3}{\cancel{27}}\times\frac{2}{\underset{1}{\cancel{9}}}=6$ (m)

개념 4 (자연수)×(대분수)

12 계산 결과가 7보다 큰 식에 ○표, 7보다 작은 식에 △표 하세요.

✤ • 7에 진분수를 곱하면 계산 결과는 7보다 작습니다.
• 7에 1을 곱하면 계산 결과는 그대로 7입니다.
• 7에 대분수나 가분수를 곱하면 곱한 결과는 7보다 큽니다.

13 가장 큰 수와 가장 작은 수의 곱을 구해 보세요.

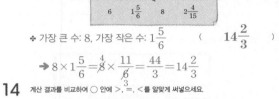

6 $1\frac{5}{6}$ 8 $2\frac{4}{15}$

($14\frac{2}{3}$)

✤ 가장 큰 수: 8, 가장 작은 수: $1\frac{5}{6}$

➔ $8\times1\frac{5}{6}=\overset{4}{\cancel{8}}\times\frac{11}{\underset{3}{\cancel{6}}}=\frac{44}{3}=14\frac{2}{3}$

14 계산 결과를 비교하여 ○ 안에 >, =, <를 알맞게 써넣으세요.

$14\times3\frac{2}{7}$ (>) $15\times2\frac{4}{5}$

✤ $14\times3\frac{2}{7}=\overset{2}{\cancel{14}}\times\frac{23}{\underset{1}{\cancel{7}}}=46$, $15\times2\frac{4}{5}=\overset{3}{\cancel{15}}\times\frac{14}{\underset{1}{\cancel{5}}}=42$

15 귤 한 상자의 무게는 3 kg입니다. 사과 한 상자가 귤 한 상자 무게의 $5\frac{1}{6}$배일 때 사과 한 상자의 무게는 몇 kg일까요?

($15\frac{1}{2}$ kg)

✤ (사과 한 상자의 무게)$=3\times5\frac{1}{6}=\overset{1}{\cancel{3}}\times\frac{31}{\underset{2}{\cancel{6}}}=\frac{31}{2}=15\frac{1}{2}$ (kg)

2단계 교과서 개념 다지기

정답과 풀이 p.17

개념 5 진분수의 곱셈

16 빈 곳에 알맞은 수를 써넣으세요.

$\times\frac{1}{2}$

$\frac{1}{10}$ → $\frac{1}{20}$

✤ $\frac{1}{10}\times\frac{1}{2}=\frac{1}{20}$

17 빈칸에 알맞은 수를 써넣으세요.

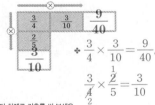

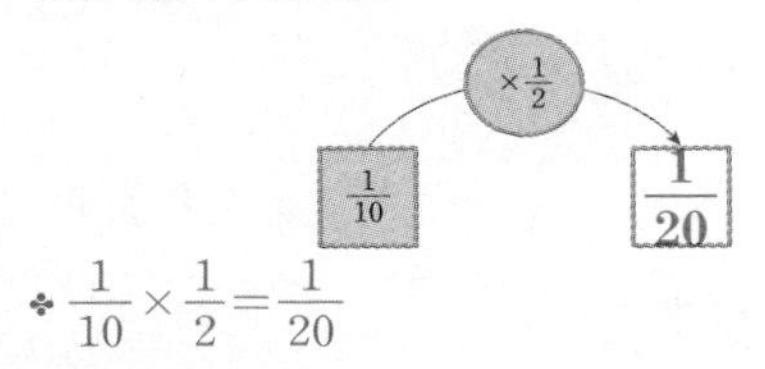

✤ $\frac{3}{4}\times\frac{3}{10}=\frac{9}{40}$, $\frac{3}{\underset{2}{\cancel{4}}}\times\frac{\overset{1}{\cancel{2}}}{5}=\frac{3}{10}$

18 계산 결과가 작은 것부터 차례로 기호를 써 보세요.

㉠ $\frac{1}{3}\times\frac{1}{6}$ ㉡ $\frac{1}{5}\times\frac{1}{5}$ ㉢ $\frac{1}{9}\times\frac{1}{4}$ ㉣ $\frac{1}{2}\times\frac{1}{7}$

(㉢, ㉡, ㉠, ㉣)

✤ 단위분수는 분모가 클수록 작은 분수입니다.

㉠ $\frac{1}{18}$ ㉡ $\frac{1}{25}$ ㉢ $\frac{1}{36}$ ㉣ $\frac{1}{14}$ ➔ ㉢ $\frac{1}{36}$ < ㉡ $\frac{1}{25}$ < ㉠ $\frac{1}{18}$ < ㉣ $\frac{1}{14}$

19 진영이네 반 학생의 $\frac{5}{8}$는 남학생이고, 남학생의 $\frac{5}{9}$는 안경을 썼습니다. 진영이네 반에서 안경을 쓴 남학생은 전체 학생의 얼마일까요?

($\frac{25}{72}$)

✤ 진영이네 반에서 안경을 쓴 남학생은 전체의 $\frac{5}{8}\times\frac{5}{9}$입니다.

➔ $\frac{5}{8}\times\frac{5}{9}=\frac{25}{72}$

개념 6 (대분수)×(대분수)

20 (분수)×(분수)의 계산 방법을 이용하여 계산해 보세요.

(1) $5\times\frac{7}{12}$ $\overset{예}{=}\frac{5}{1}\times\frac{7}{12}=\frac{5\times7}{1\times12}=\frac{35}{12}=2\frac{11}{12}$

(2) $2\frac{1}{3}\times4$ $\overset{예}{=}\frac{7}{3}\times\frac{4}{1}=\frac{7\times4}{3\times1}=\frac{28}{3}=9\frac{1}{3}$

✤ (1) 5를 $\frac{5}{1}$로 나타내어 계산합니다.
(2) $2\frac{1}{3}$을 가분수로 나타내고, 4를 $\frac{4}{1}$로 나타내어 계산합니다.

21 빈 곳에 두 수의 곱을 써넣으세요.

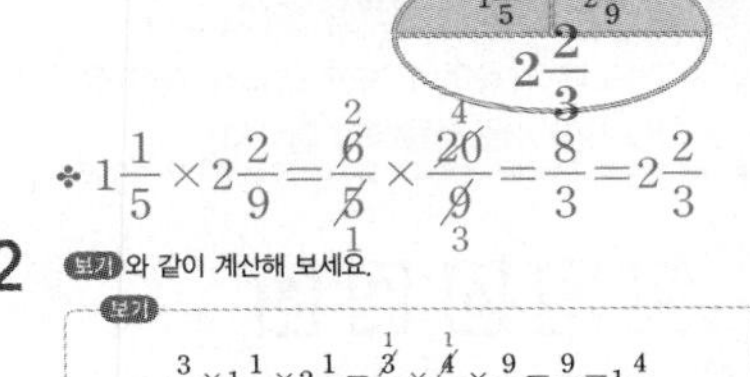

✤ $1\frac{1}{5}\times2\frac{2}{9}=\frac{\overset{2}{\cancel{6}}}{\underset{1}{\cancel{5}}}\times\frac{\overset{4}{\cancel{20}}}{\underset{3}{\cancel{9}}}=\frac{8}{3}=2\frac{2}{3}$

22 보기 와 같이 계산해 보세요.

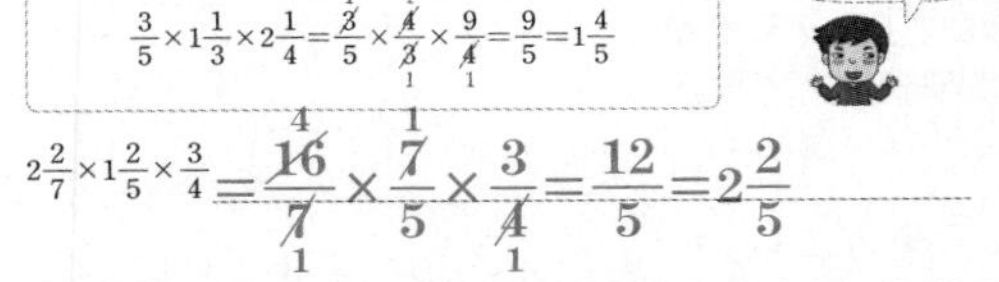

$2\frac{2}{7}\times1\frac{2}{5}\times\frac{3}{4}=\frac{\overset{4}{\cancel{16}}}{\underset{1}{\cancel{7}}}\times\frac{\overset{1}{\cancel{7}}}{5}\times\frac{3}{\underset{1}{\cancel{4}}}=\frac{12}{5}=2\frac{2}{5}$

✤ 대분수를 가분수로 나타낸 후 세 분수를 한꺼번에 약분하여 계산한 것입니다.

23 계산 결과를 비교하여 ○ 안에 >, =, <를 알맞게 써넣으세요.

$1\frac{3}{5}\times2\frac{5}{8}$ (<) $2\frac{1}{7}\times2\frac{1}{10}$

✤ $1\frac{3}{5}\times2\frac{5}{8}=\frac{\overset{1}{\cancel{8}}}{5}\times\frac{21}{\underset{1}{\cancel{8}}}=\frac{21}{5}=4\frac{1}{5}$,

$2\frac{1}{7}\times2\frac{1}{10}=\frac{\overset{3}{\cancel{15}}}{\underset{1}{\cancel{7}}}\times\frac{\overset{3}{\cancel{21}}}{\underset{2}{\cancel{10}}}=\frac{9}{2}=4\frac{1}{2}$

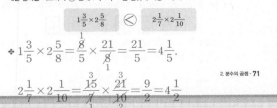

➔ $4\frac{1}{5}\left(=4\frac{2}{10}\right) < 4\frac{1}{2}\left(=4\frac{5}{10}\right)$

3단계 교과서 실력 다지기

정답과 풀이 p.18

잘못된 부분을 찾아 바르게 계산하기

1 다음 계산에서 잘못된 부분을 찾아 바르게 계산해 보세요.

$2\frac{2}{5}\times\frac{3}{4}=\frac{11}{5}\times\frac{3}{2}=\frac{33}{10}=3\frac{3}{10}$

→ $2\frac{2}{5}\times\frac{3}{4}=\frac{12}{5}\times\frac{3}{4}=\frac{9}{5}=1\frac{4}{5}$

개념 피드백
- 분수의 곱셈에서 약분을 할 때 분자끼리, 분모끼리 약분하지 않도록 주의합니다.
- 대분수의 곱셈은 대분수를 가분수로 나타낸 후, 약분이 되면 약분하여 계산합니다.

1-1 다음 계산에서 잘못된 부분을 찾아 바르게 계산해 보세요.

$12\times2\frac{7}{9}=4\times2\frac{7}{3}=4\times\frac{13}{3}=\frac{52}{3}=17\frac{1}{3}$

→ $12\times2\frac{7}{9}=12\times\frac{25}{9}=\frac{100}{3}=33\frac{1}{3}$

✤ 대분수를 가분수로 나타낸 후, 약분하여 계산해야 합니다.

1-2 다음 계산에서 잘못된 부분을 찾아 이유를 쓰고, 바르게 계산한 값을 구해 보세요.

$2\frac{7}{9}\times3\frac{3}{5}=\frac{13}{3}\times\frac{16}{5}=\frac{208}{15}=13\frac{13}{15}$

이유 예 대분수를 가분수로 나타낸 후, 약분해야 하는데 대분수 상태에서 약분했습니다.

(10)

✤ $2\frac{7}{9}\times3\frac{3}{5}=\frac{25}{9}\times\frac{18}{5}=10$

도형의 넓이 구하기

2 직사각형의 넓이는 몇 cm^2인지 구해 보세요.

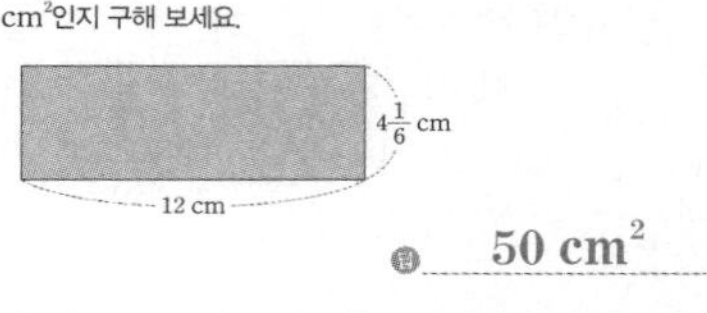

답 $50\ cm^2$

개념 피드백
- (직사각형의 넓이)=(가로)×(세로)이므로 식을 바르게 세우고 분수의 곱셈을 합니다.

✤ (직사각형의 넓이)=(가로)×(세로)

$=12\times4\frac{1}{6}=12\times\frac{25}{6}=50\ (cm^2)$

2-1 평행사변형의 넓이는 몇 cm^2인지 구해 보세요.

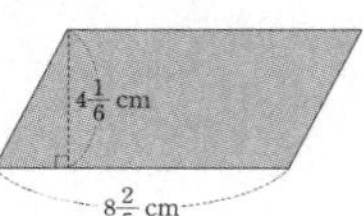

($35\ cm^2$)

✤ (평행사변형의 넓이)=(밑변의 길이)×(높이)

$=8\frac{2}{5}\times4\frac{1}{6}=\frac{42}{5}\times\frac{25}{6}=35\ (cm^2)$

2-2 직사각형 ㉮와 평행사변형 ㉯가 있습니다. ㉮와 ㉯ 중 어느 것이 더 넓은지 구해 보세요.

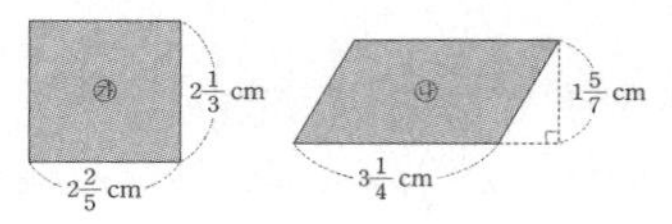

(㉮)

✤ (직사각형 ㉮의 넓이)$=2\frac{2}{5}\times2\frac{1}{3}=\frac{12}{5}\times\frac{7}{3}=\frac{28}{5}=5\frac{3}{5}\ (cm^2)$

(평행사변형 ㉯의 넓이)$=3\frac{1}{4}\times1\frac{5}{7}=\frac{13}{4}\times\frac{12}{7}=\frac{39}{7}=5\frac{4}{7}\ (cm^2)$

→ $5\frac{3}{5}\left(=5\frac{21}{35}\right)>5\frac{4}{7}\left(=5\frac{20}{35}\right)$이므로 ㉮가 더 넓습니다.

3단계 교과서 실력 다지기

정답과 풀이 p.18

수 카드로 분수의 곱셈식 만들고 계산하기

3 수 카드 중 2장을 사용하여 분수의 곱셈식을 만들려고 합니다. 계산 결과가 가장 작은 식을 만들고, 계산해 보세요.

2 3 4 5 6 7 8 9

식 $\frac{1}{9}\times\frac{1}{8}$ (또는 $\frac{1}{8}\times\frac{1}{9}$)

답 $\frac{1}{72}$

개념 피드백
- 분자에 작은 수가 들어갈수록, 분모에 큰 수가 들어갈수록 계산 결과가 작아집니다.
- 분자에 큰 수가 들어갈수록, 분모에 작은 수가 들어갈수록 계산 결과가 커집니다.

✤ 분모에 큰 수가 들어갈수록 계산 결과가 작아집니다. 따라서 2장의 수 카드를 사용하여 계산 결과가 가장 작은 식을 만들려면 수 카드 9와 8을 사용해야 합니다.

3-1 수 카드 중 2장을 사용하여 분수의 곱셈식을 만들려고 합니다. 계산 결과가 가장 큰 식을 만들고, 계산해 보세요.

4 5 6 7 8

✤ 2장의 수 카드를 사용하여 계산 결과가 가장 큰 식을 만들려면 분자에 있는 □에는 가장 큰 수인 8을, 분모에 있는 □에는 가장 작은 수인 4를 사용합니다.

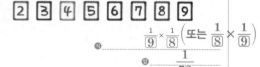

식 $2\frac{8}{9}\times\frac{3}{4}$

답 $2\frac{1}{6}$

→ $2\frac{8}{9}\times\frac{3}{4}=\frac{26}{9}\times\frac{3}{4}=\frac{13}{6}=2\frac{1}{6}$

3-2 수 카드를 한 번씩만 사용하여 3개의 진분수를 만들어 곱하려고 합니다. 계산 결과가 가장 작을 때는 얼마인지 구해 보세요. (단, 분모와 분자에 각각 한 장의 카드만 사용합니다.)

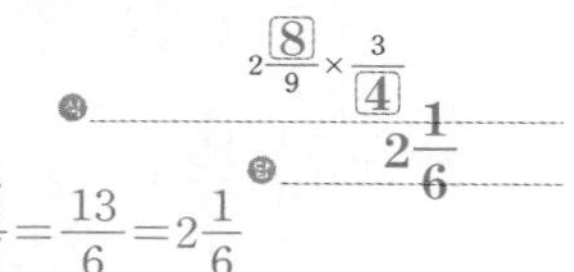

($\frac{1}{20}$)

✤ 분모에 큰 수가 들어갈수록, 분자에 작은 수가 들어갈수록 계산 결과가 작아집니다.

→ $\frac{1}{6}\times\frac{2}{5}\times\frac{3}{4}=\frac{1\times2\times3}{6\times5\times4}=\frac{1}{20}$

□ 안에 들어갈 수 있는 자연수 구하기

4 □ 안에 들어갈 수 있는 자연수를 모두 구해 보세요.

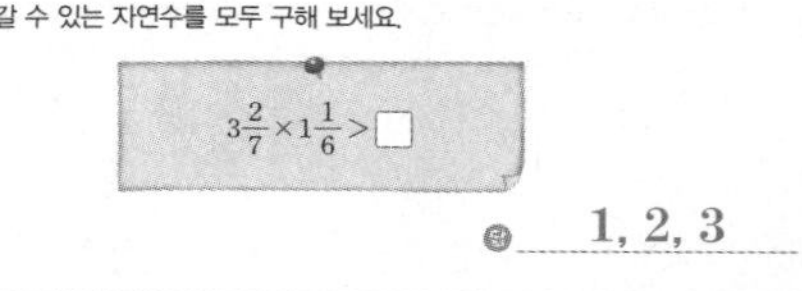

답 1, 2, 3

개념 피드백
- □ 안에 들어갈 수 있는 자연수 구하기
① 분수의 곱셈을 먼저 계산합니다.
② □ 안에 들어갈 수 있는 자연수를 모두 구합니다.

✤ $3\frac{2}{7}\times1\frac{1}{6}=\frac{23}{7}\times\frac{7}{6}=\frac{23}{6}=3\frac{5}{6}$이므로 $3\frac{5}{6}>□$입니다.

따라서 □ 안에 들어갈 수 있는 자연수는 1, 2, 3입니다.

4-1 □ 안에 들어갈 수 있는 가장 큰 자연수를 구해 보세요.

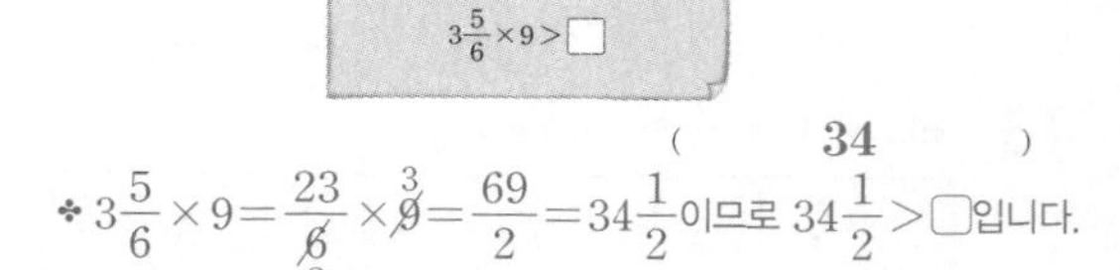

(34)

✤ $3\frac{5}{6}\times9=\frac{23}{6}\times9=\frac{69}{2}=34\frac{1}{2}$이므로 $34\frac{1}{2}>□$입니다.

따라서 □ 안에 들어갈 수 있는 가장 큰 자연수는 34입니다.

4-2 1보다 큰 자연수 중에서 □ 안에 들어갈 수 있는 자연수를 모두 구해 보세요.

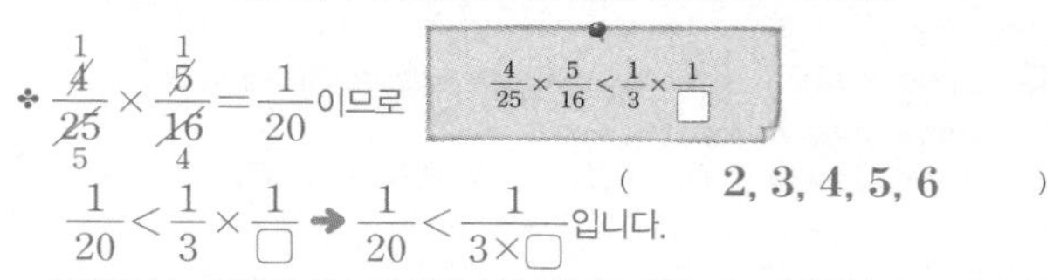

(2, 3, 4, 5, 6)

✤ $\frac{4}{25}\times\frac{5}{16}=\frac{1}{20}$이므로

$\frac{1}{20}<\frac{1}{3}\times\frac{1}{□}$ → $\frac{1}{20}<\frac{1}{3\times□}$입니다.

단위분수는 분모가 클수록 작은 분수이므로 $20>3\times□$입니다.

따라서 1보다 큰 자연수 중에서 □ 안에 들어갈 수 있는 자연수는 2, 3, 4, 5, 6입니다.

✤ 가영이가 사용하고 남은 색 테이프는 전체의 $1-\frac{1}{6}=\frac{5}{6}$이고, 영훈이가 사용하고 남은 색 테이프는 가영이가 사용하고 남은 색 테이프의

$1-\frac{7}{10}=\frac{3}{10}$이므로 남은 색 테이프는 전체의 $\frac{5}{6}\times\frac{3}{10}=\frac{1}{4}$입니다.

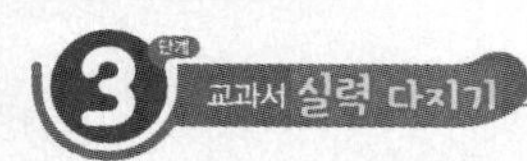

정답과 풀이 p.19

★ 전체의 얼마인지 구하기

5 케이크 한 개의 $\frac{3}{10}$은 준수가 먹었고 나머지의 $\frac{5}{8}$는 형이 먹었습니다. 형이 먹은 케이크는 전체의 얼마인지 구해 보세요.

답 $\frac{7}{16}$

개념 피드백
- 전체의 얼마인지 구하기
① 전체의 $\frac{★}{■}$만큼 먹고 남은 부분은 전체의 $1-\frac{★}{■}=\frac{■-★}{■}$입니다.
② $\frac{●}{■}$의 $\frac{▼}{▲}$는 $\frac{●}{■}\times\frac{▼}{▲}$입니다.

✤ 준수가 먹고 남은 케이크는 전체의 $1-\frac{3}{10}=\frac{7}{10}$이므로

형이 먹은 케이크는 전체의 $\frac{7}{10}\times\frac{5}{8}=\frac{7}{16}$입니다.

5-1 채소 가게에서 어제는 오이 한 상자의 $\frac{1}{5}$을 팔았고, 오늘은 어제 팔고 난 나머지의 $\frac{3}{8}$을 팔았습니다. 오늘 판 오이는 전체의 얼마인지 구해 보세요.

($\frac{3}{10}$)

✤ 어제 팔고 남은 오이는 전체의

$1-\frac{1}{5}=\frac{4}{5}$이므로 오늘 판 오이는 전체의 $\frac{4}{5}\times\frac{3}{8}=\frac{3}{10}$입니다.

5-2 물 한 병의 $\frac{7}{12}$은 진주가 마셨고, 나머지의 $\frac{3}{4}$은 수인이가 마셨습니다. 수인이가 마신 물은 전체의 얼마인지 구해 보세요.

($\frac{5}{16}$)

✤ 진주가 마시고 남은 물은 전체의

$1-\frac{7}{12}=\frac{5}{12}$이므로 수인이가 마신 물은 전체의

$\frac{5}{12}\times\frac{3}{4}=\frac{5}{16}$입니다.

★ 남은 양 구하기

6 길이가 90 cm인 색 테이프가 있습니다. 가영이는 전체의 $\frac{1}{6}$을 사용했고 영훈이는 나머지의 $\frac{7}{10}$을 사용했습니다. 남은 색 테이프의 길이는 몇 cm인지 구해 보세요.

답 $22\frac{1}{2}$ cm

개념 피드백
- 남은 색 테이프의 길이 구하기
① 두 사람이 사용하고 남은 색 테이프는 전체의 얼마인지 순서대로 구합니다.
② 두 사람이 모두 사용하고 남은 색 테이프는 전체의 얼마인지 분수의 곱셈을 이용하여 구합니다.
③ ②에서 구한 양을 이용하여 남은 색 테이프의 길이를 구합니다.

➜ (남은 색 테이프의 길이)$=90\times\frac{1}{4}=\frac{45}{2}=22\frac{1}{2}$ (cm)

6-1 넓이가 360 m²인 밭이 있습니다. 전체의 $\frac{1}{3}$에는 배추를 심고, 나머지 밭의 $\frac{3}{8}$에는 무를 심었습니다. 그리고 남은 밭에는 고추를 심었을 때, 고추를 심은 밭의 넓이는 몇 m²인지 구해 보세요.

(150 m²)

✤ 배추를 심고 남은 밭은 전체의 $1-\frac{1}{3}=\frac{2}{3}$이고,

무를 심고 남은 밭은 배추를 심고 남은 밭의 $1-\frac{3}{8}=\frac{5}{8}$이므로 고추를 심은 밭은

전체의 $\frac{2}{3}\times\frac{5}{8}=\frac{5}{12}$입니다. ➜ (고추를 심은 밭의 넓이)$=360\times\frac{5}{12}=150$ (m²)

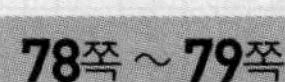

6-2 동진이는 어제 동화책 한 권의 $\frac{1}{4}$을 읽었고, 오늘은 어제 읽고 난 나머지의 $\frac{1}{6}$을 읽었습니다. 동화책 한 권이 96쪽일 때, 어제와 오늘 읽고 남은 양은 몇 쪽인지 구해 보세요.

(60쪽)

✤ 동진이가 어제 동화책을 읽고 남은 양은 전체의

$1-\frac{1}{4}=\frac{3}{4}$이고, 오늘 동화책을 읽고 남은 양은 어제 읽고 남은 양의

$1-\frac{1}{6}=\frac{5}{6}$이므로 어제와 오늘 읽고 남은 양은 전체의 $\frac{3}{4}\times\frac{5}{6}=\frac{5}{8}$입니다.

➜ (어제와 오늘 읽고 남은 동화책 쪽수)$=96\times\frac{5}{8}=60$(쪽)

Test 교과서 서술형 연습

정답과 풀이 p.19

1 오른쪽 3장의 수 카드를 각각 한 번씩만 사용하여 만들 수 있는 가장 큰 대분수와 가장 작은 대분수의 곱은 얼마인지 구해 보세요.

[3] [4] [5]

구하려는 것, 주어진 것에 선을 그어 봅니다.

해결하기 만들 수 있는 가장 큰 대분수는 $5\frac{3}{4}$이고,
만들 수 있는 가장 작은 대분수는 $3\frac{4}{5}$입니다.
따라서 만들 수 있는 가장 큰 대분수와 가장 작은 대분수의 곱은
$5\frac{3}{4}\times3\frac{4}{5}=\frac{23}{4}\times\frac{19}{5}=\frac{437}{20}=21\frac{17}{20}$입니다.

답 구하기 $21\frac{17}{20}$

2 오른쪽 3장의 수 카드를 각각 한 번씩만 사용하여 만들 수 있는 가장 큰 대분수와 가장 작은 대분수의 곱은 얼마인지 구해 보세요.

주어진 것 / 구하려는 것

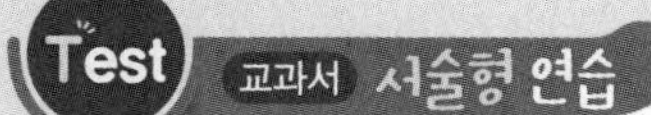

구하려는 것, 주어진 것에 선을 그어 봅니다.

해결하기 예 만들 수 있는 가장 큰 대분수는 $7\frac{1}{6}$이고,
만들 수 있는 가장 작은 대분수는 $1\frac{6}{7}$입니다.
따라서 만들 수 있는 가장 큰 대분수와 가장 작은 대분수의 곱은
$7\frac{1}{6}\times1\frac{6}{7}=\frac{43}{6}\times\frac{13}{7}$
$=\frac{559}{42}=13\frac{13}{42}$입니다.

답 구하기 $13\frac{13}{42}$

3 어떤 수에 $2\frac{7}{8}$을 곱해야 할 것을 잘못해서 뺐더니 $\frac{1}{4}$이 되었습니다. 바르게 계산하면 얼마인지 구해 보세요.

구하려는 것, 주어진 것에 선을 그어 봅니다.

해결하기 어떤 수를 □라 하면
$□-2\frac{7}{8}=\frac{1}{4}$, $□=\frac{1}{4}+2\frac{7}{8}=\frac{2}{8}+2\frac{7}{8}=2\frac{9}{8}=3\frac{1}{8}$입니다.
따라서 바르게 계산하면
$3\frac{1}{8}\times2\frac{7}{8}=\frac{25}{8}\times\frac{23}{8}=\frac{575}{64}=8\frac{63}{64}$입니다.

답 구하기 $8\frac{63}{64}$

4 어떤 수에 $1\frac{3}{4}$을 곱해야 할 것을 잘못해서 더했더니 $3\frac{5}{6}$가 되었습니다. 바르게 계산하면 얼마인지 구해 보세요.

주어진 것 / 구하려는 것

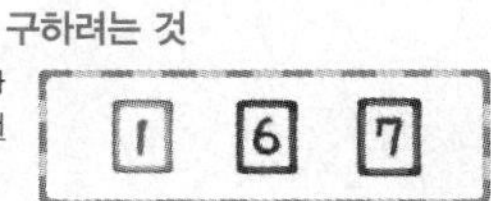

구하려는 것, 주어진 것에 선을 그어 봅니다.

해결하기 예 어떤 수를 □라 하면 $□+1\frac{3}{4}=3\frac{5}{6}$,
$□=3\frac{5}{6}-1\frac{3}{4}=3\frac{10}{12}-1\frac{9}{12}=2\frac{1}{12}$입니다.
따라서 바르게 계산하면
$2\frac{1}{12}\times1\frac{3}{4}=\frac{25}{12}\times\frac{7}{4}=\frac{175}{48}=3\frac{31}{48}$입니다.

답 구하기 $3\frac{31}{48}$

80쪽 ~ 81쪽

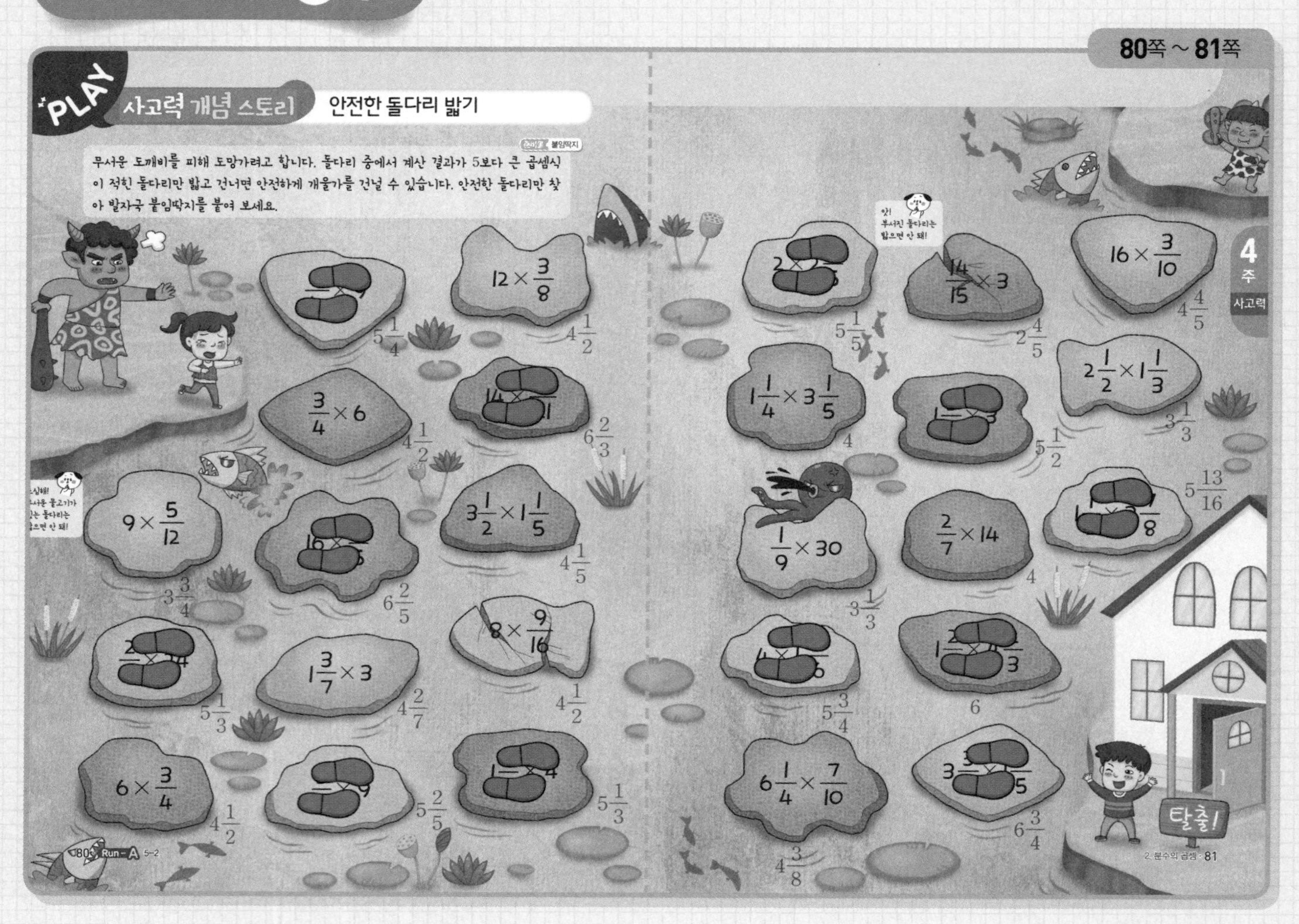

82쪽 ~ 83쪽

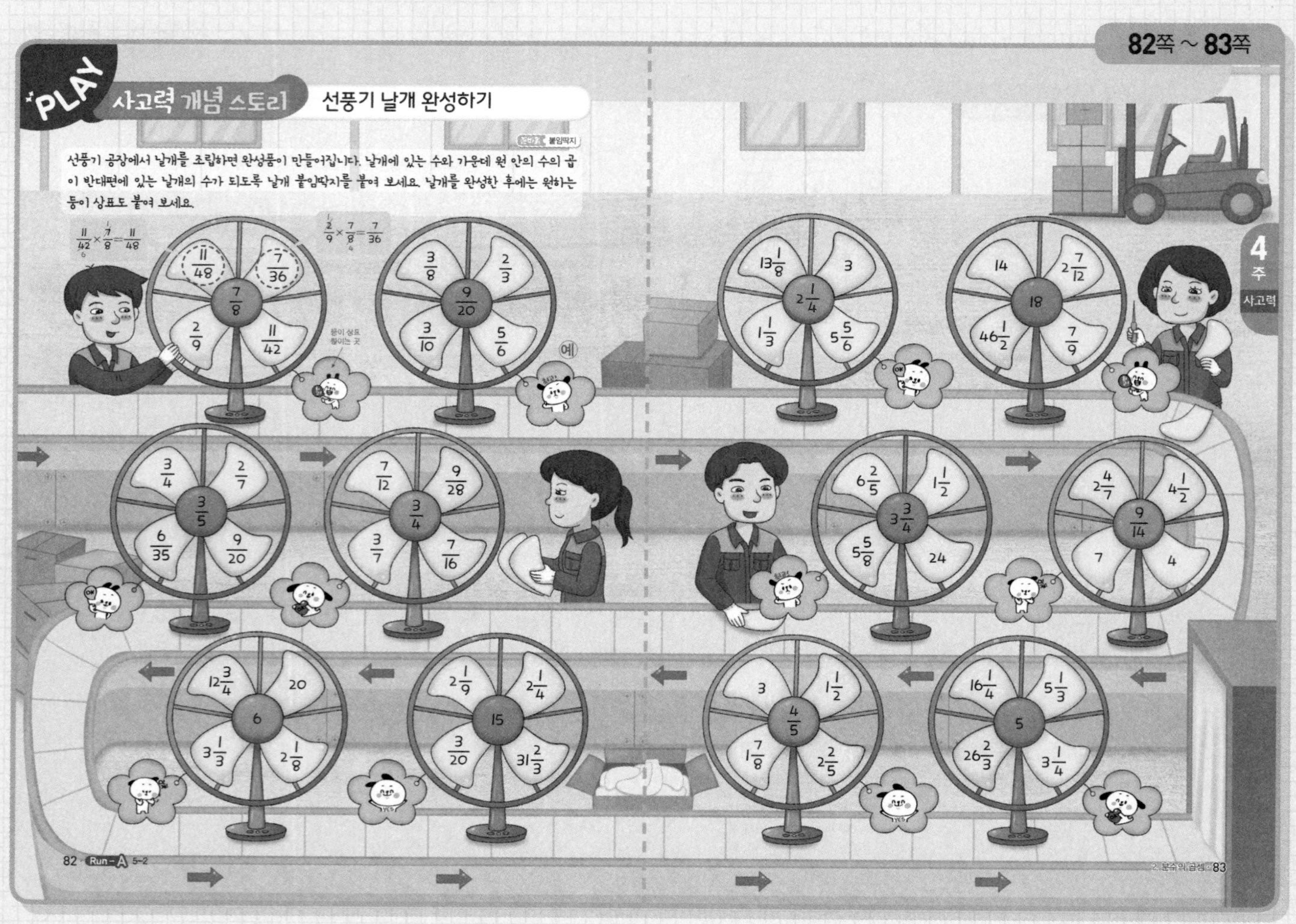

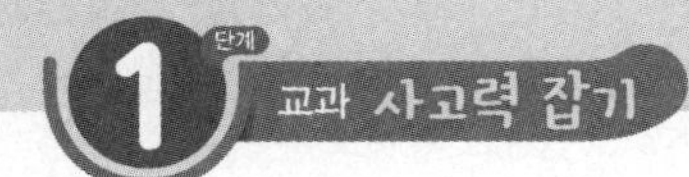

1 4장의 수 카드 중에서 3장을 각각 한 번씩만 사용하여 대분수를 만들려고 합니다. 만들 수 있는 가장 큰 대분수와 가장 작은 대분수의 곱을 구해 보세요.

3 4 5 7

① 알맞은 말에 ○표 하고, 수 카드의 빈 곳에 알맞은 수를 써넣으세요.
가장 큰 대분수를 만들려면 자연수 부분에 가장 (큰, 작은) 수를 놓아야 하므로
만들 수 있는 대분수는 $7\frac{3}{4}$, $7\frac{3}{5}$, $7\frac{4}{5}$입니다.

② 만들 수 있는 가장 큰 대분수를 구해 보세요.
($7\frac{4}{5}$)

✤ $7\frac{4}{5} > 7\frac{3}{4} > 7\frac{3}{5}$이므로 만들 수 있는 가장 큰 대분수는 $7\frac{4}{5}$입니다.

③ 알맞은 말에 ○표 하고, 수 카드의 빈 곳에 알맞은 수를 써넣으세요.
가장 작은 대분수를 만들려면 자연수 부분에 가장 (큰, 작은) 수를 놓아야 하므로 만들 수 있는 대분수는 $3\frac{4}{5}$, $3\frac{4}{7}$, $3\frac{5}{7}$입니다.

④ 만들 수 있는 가장 작은 대분수를 구해 보세요.
($3\frac{4}{7}$)

✤ $3\frac{4}{7} < 3\frac{5}{7} < 3\frac{4}{5}$이므로 만들 수 있는 가장 작은 대분수는 $3\frac{4}{7}$입니다.

⑤ 만들 수 있는 가장 큰 대분수와 가장 작은 대분수의 곱을 구해 보세요.
($27\frac{6}{7}$)

✤ $7\frac{4}{5} \times 3\frac{4}{7} = \frac{39}{\cancel{5}_{1}} \times \frac{\cancel{25}^{5}}{7} = \frac{195}{7} = 27\frac{6}{7}$

2 그림과 같이 길이가 $\frac{5}{8}$ m인 색 테이프 6장을 $\frac{1}{9}$ m씩 겹쳐지게 이어 붙였습니다. 이어 붙인 색 테이프의 전체 길이는 몇 m인지 구해 보세요.

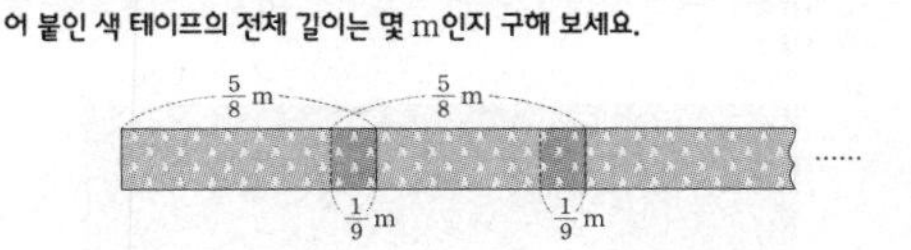

① 길이가 $\frac{5}{8}$ m인 색 테이프 6장의 길이의 합은 몇 m일까요?
($3\frac{3}{4}$ m)

✤ (색 테이프 6장의 길이의 합) $= \frac{5}{\cancel{8}_{4}} \times \cancel{6}^{3} = \frac{15}{4} = 3\frac{3}{4}$ (m)

② 색 테이프 6장을 이어 붙였을 때 겹쳐진 부분은 몇 군데일까요?
(5군데)

✤ (겹쳐진 부분의 수)=(색 테이프의 수)−1=6−1=5(군데)

③ 겹쳐진 부분의 길이의 합은 몇 m일까요?
($\frac{5}{9}$ m)

✤ (겹쳐진 부분의 길이의 합) $= \frac{1}{9} \times 5 = \frac{5}{9}$ (m)

④ 이어 붙인 색 테이프의 전체 길이는 몇 m일까요?
($3\frac{7}{36}$ m)

✤ (이어 붙인 색 테이프의 전체 길이)
=(색 테이프 6장의 길이의 합)−(겹쳐진 부분의 길이의 합)
$= 3\frac{3}{4} - \frac{5}{9} = 3\frac{27}{36} - \frac{20}{36} = 3\frac{7}{36}$ (m)

4주 사고력

1 단계 교과 사고력 잡기

3 하루에 2분 20초씩 빨라지는 시계가 있습니다. 이 시계를 오늘 낮 12시에 정확히 맞추어 놓았다면 12일 후 낮 12시에 이 시계가 가리키는 시각은 오후 몇 시 몇 분인지 구해 보세요.

어쩌지?
12일 후 낮 12시에
축구 시합이 있는데…….
정확한 시각을 알려면
하루에 몇 분씩
빨라지는지 알아봐.

① 이 시계는 하루에 몇 분씩 빨라지는지 기약분수로 나타내어 보세요.
($2\frac{1}{3}$분)

✤ 2분 20초 $= 2\frac{20}{60}$분 $= 2\frac{1}{3}$분

② 12일 후에는 몇 분이 빨라질까요?
(28분)

✤ $2\frac{1}{3} \times 12 = \frac{7}{\cancel{3}_{1}} \times \cancel{12}^{4} = 28$(분)

③ 12일 후 낮 12시에 이 시계가 가리키는 시각은 오후 몇 시 몇 분일까요?
(오후 12시 28분)

✤ 12일 후 이 시계는 28분이 빨라지므로 낮 12시에 이 시계가 가리키는 시각은 오후 12시 28분입니다.

4 윤석이는 4 m 높이에서 공을 떨어뜨렸습니다. 이 공은 땅에 닿은 후 떨어진 높이의 $\frac{5}{8}$만큼 다시 튀어 오른다고 합니다. 공이 땅에 세 번 닿았다가 튀어 올랐을 때의 높이는 몇 m인지 구해 보세요.

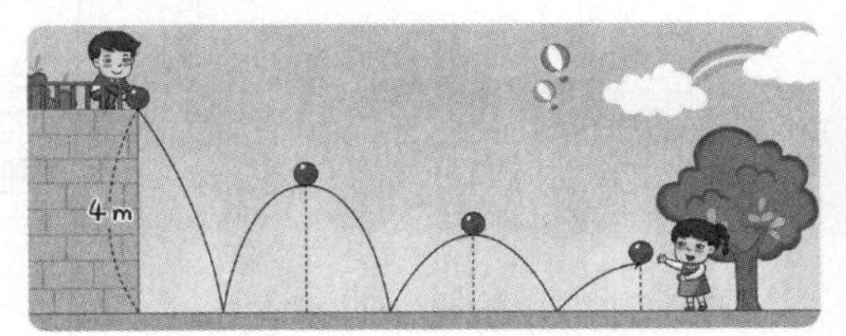

① 공이 땅에 한 번 닿았다가 튀어 올랐을 때의 높이는 몇 m일까요?
($2\frac{1}{2}$ m)

✤ (공이 땅에 한 번 닿았다가 튀어 올랐을 때의 높이)
$= \cancel{4}^{1} \times \frac{5}{\cancel{8}_{2}} = \frac{5}{2} = 2\frac{1}{2}$ (m)

② 공이 땅에 두 번 닿았다가 튀어 올랐을 때의 높이는 몇 m일까요?
($1\frac{9}{16}$ m)

✤ (공이 땅에 두 번 닿았다가 튀어 올랐을 때의 높이)
$= 2\frac{1}{2} \times \frac{5}{8} = \frac{5}{2} \times \frac{5}{8} = \frac{25}{16} = 1\frac{9}{16}$ (m)

③ 공이 땅에 세 번 닿았다가 튀어 올랐을 때의 높이는 몇 m일까요?
($\frac{125}{128}$ m)

✤ (공이 땅에 세 번 닿았다가 튀어 올랐을 때의 높이)
$= 1\frac{9}{16} \times \frac{5}{8} = \frac{25}{16} \times \frac{5}{8} = \frac{125}{128}$ (m)

4주 사고력

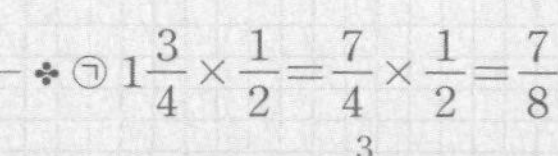

88쪽 ~ 89쪽

정답과 풀이 p.22

2단계 교과 사고력 확장

1 다음과 같이 직사각형 모양의 학급 게시판이 있습니다. 미술 시간에 현우네 반 학생들이 그린 작품들을 초록색 게시판에 게시하려고 합니다. 초록색 게시판의 넓이는 몇 m^2인지 구해 보세요.

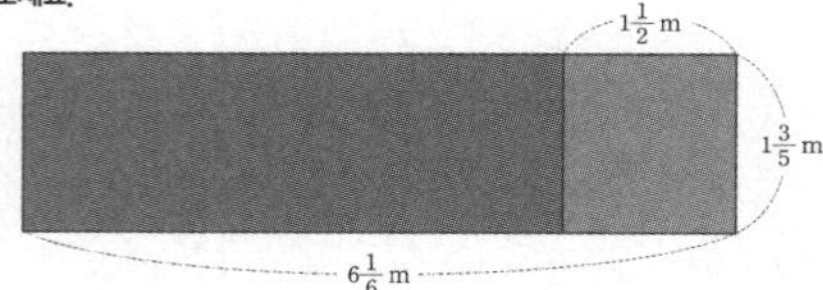

❶ 초록색 게시판의 가로는 몇 m일까요?

($4\frac{2}{3}$ m)

✤ (초록색 게시판의 가로)

$=6\frac{1}{6}-1\frac{1}{2}=6\frac{1}{6}-1\frac{3}{6}=5\frac{7}{6}-1\frac{3}{6}=4\frac{4}{6}=4\frac{2}{3}$ (m)

❷ 초록색 게시판의 세로는 몇 m일까요?

($1\frac{3}{5}$ m)

❸ 초록색 게시판의 넓이는 몇 m^2일까요?

($7\frac{7}{15}$ m^2)

✤ (초록색 게시판의 넓이)

=(초록색 게시판의 가로)×(초록색 게시판의 세로)

$=4\frac{2}{3}\times1\frac{3}{5}=\frac{14}{3}\times\frac{8}{5}=\frac{112}{15}=7\frac{7}{15}$ (m^2)

2 사다리 타는 방법을 이용하여 사다리 타기를 하고 연결된 두 수의 곱을 빈 곳에 써넣으세요.

<사다리 타는 방법>

• 출발점에서 아래로 내려가다가 만나는 다리는 반드시 옆으로 건너야 합니다.

• 아래와 옆으로만 이동할 수 있습니다.

❶

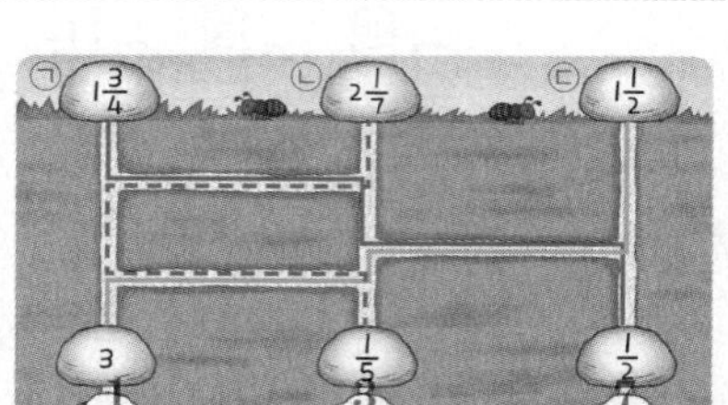

✤ ㉠ $1\frac{3}{4}\times\frac{1}{2}=\frac{7}{4}\times\frac{1}{2}=\frac{7}{8}$

㉡ $2\frac{1}{7}\times\frac{1}{5}=\frac{\overset{3}{\cancel{15}}}{7}\times\frac{1}{\underset{1}{\cancel{5}}}=\frac{3}{7}$

㉢ $1\frac{1}{2}\times3=\frac{3}{2}\times3=\frac{9}{2}=4\frac{1}{2}$

❷

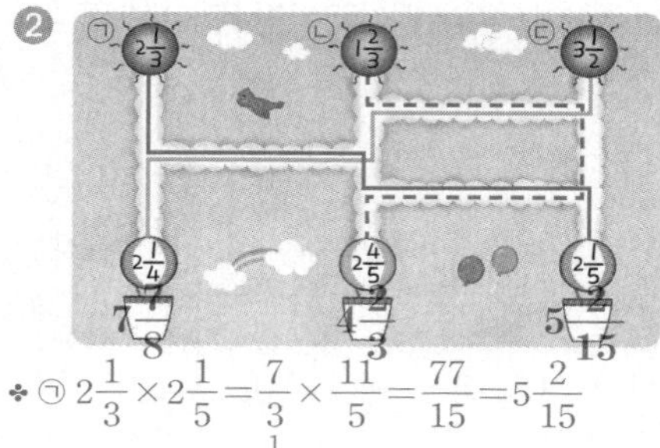

✤ ㉠ $2\frac{1}{3}\times2\frac{1}{5}=\frac{7}{3}\times\frac{11}{5}=\frac{77}{15}=5\frac{2}{15}$

㉡ $1\frac{2}{3}\times2\frac{4}{5}=\frac{\overset{1}{\cancel{5}}}{3}\times\frac{14}{\underset{1}{\cancel{5}}}=\frac{14}{3}=4\frac{2}{3}$

㉢ $3\frac{1}{2}\times2\frac{1}{4}=\frac{7}{2}\times\frac{9}{4}=\frac{63}{8}=7\frac{7}{8}$

90쪽 ~ 91쪽

정답과 풀이 p.22

2단계 교과 사고력 확장

3 가★나를 다음과 같이 약속할 때 15★3은 얼마인지 구해 보세요.

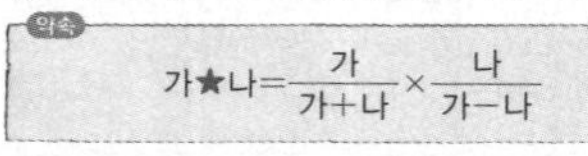

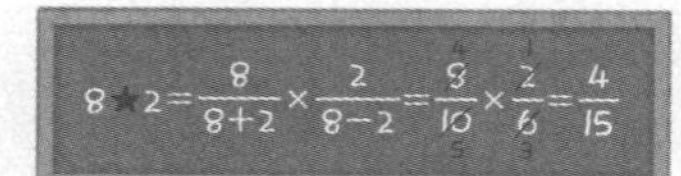

❶ 가=15, 나=3일 때 $\frac{가}{가+나}$와 $\frac{나}{가-나}$의 값을 각각 구해 보세요.

$\frac{가}{가+나}$ ($\frac{5}{6}$), $\frac{나}{가-나}$ ($\frac{1}{4}$)

✤ $\frac{가}{가+나}=\frac{15}{15+3}=\frac{\overset{5}{\cancel{15}}}{\underset{6}{\cancel{18}}}=\frac{5}{6}$, $\frac{나}{가-나}=\frac{3}{15-3}=\frac{\overset{1}{\cancel{3}}}{\underset{4}{\cancel{12}}}=\frac{1}{4}$

❷ ❶에서 구한 값을 이용하여 주어진 곱셈식을 완성해 보세요.

$\frac{가}{가+나}\times\frac{나}{가-나}=\frac{\boxed{5}}{\boxed{6}}\times\frac{\boxed{1}}{\boxed{4}}=\frac{\boxed{5}}{\boxed{24}}$

❸ 15★3을 약속된 식으로 나타내고 계산해 보세요.

$15★3=\frac{15}{\boxed{15}+\boxed{3}}\times\frac{3}{\boxed{15}-\boxed{3}}=\frac{15}{\boxed{18}}\times\frac{3}{\boxed{12}}=\frac{\boxed{5}}{\boxed{24}}$ ← 기약분수

✤ $15★3=\frac{15}{15+3}\times\frac{3}{15-3}=\frac{\overset{5}{\cancel{15}}}{\underset{6}{\cancel{18}}}\times\frac{\overset{1}{\cancel{3}}}{\underset{4}{\cancel{12}}}=\frac{5}{24}$

4 민호와 영재가 자전거를 타고 마주 보고 달립니다. 민호는 ㉮에서 출발하여 한 시간에 $11\frac{1}{4}$ km를 일정한 빠르기로 달리고, 영재는 ㉯에서 출발하여 한 시간에 $10\frac{3}{7}$ km를 일정한 빠르기로 달립니다. 두 사람이 동시에 출발하여 2시간 20분 후에 만났다면 ㉮와 ㉯ 사이의 거리는 몇 km인지 구해 보세요.

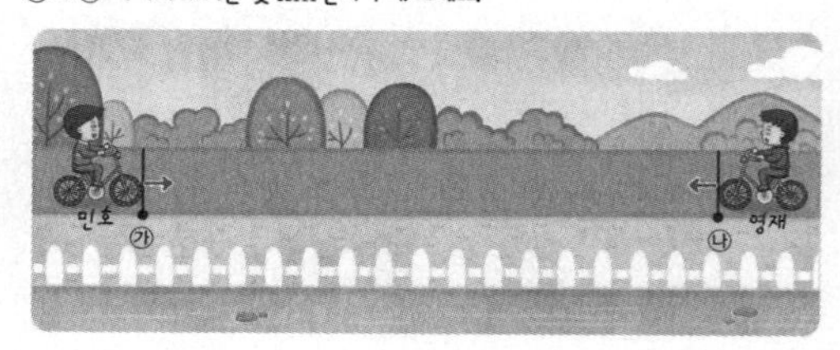

❶ 2시간 20분은 몇 시간인지 기약분수로 나타내어 보세요.

($2\frac{1}{3}$시간)

✤ 2시간 20분$=2\frac{20}{60}$시간$=2\frac{1}{3}$시간

❷ 민호가 자전거로 2시간 20분 동안 달린 거리는 몇 km일까요?

($26\frac{1}{4}$ km)

✤ $11\frac{1}{4}\times2\frac{1}{3}=\frac{\overset{15}{\cancel{45}}}{4}\times\frac{7}{\underset{1}{\cancel{3}}}=\frac{105}{4}=26\frac{1}{4}$ (km)

❸ 영재가 자전거로 2시간 20분 동안 달린 거리는 몇 km일까요?

($24\frac{1}{3}$ km)

✤ $10\frac{3}{7}\times2\frac{1}{3}=\frac{73}{\underset{1}{\cancel{7}}}\times\frac{\overset{1}{\cancel{7}}}{3}=\frac{73}{3}=24\frac{1}{3}$ (km)

❹ ㉮와 ㉯ 사이의 거리는 몇 km일까요?

($50\frac{7}{12}$ km)

✤ $26\frac{1}{4}+24\frac{1}{3}=26\frac{3}{12}+24\frac{4}{12}=50\frac{7}{12}$ (km)

평가 영역 □개념 이해력 ☑개념 응용력 □창의력 □문제 해결력

1 그림과 같은 직사각형 모양의 화단이 있습니다. 꽃을 심은 부분의 넓이는 몇 m^2인지 구해 보세요.

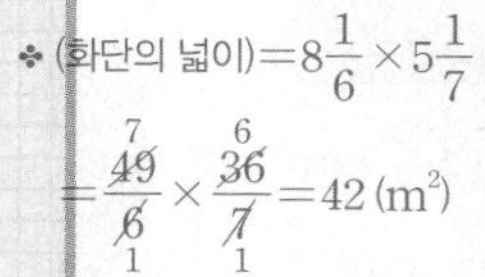

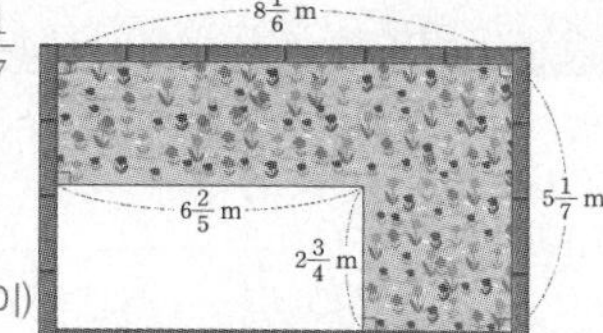

($24\frac{2}{5}$ m^2)

✤ (화단의 넓이)$=8\frac{1}{6}\times5\frac{1}{7}=\frac{\cancel{49}^{7}}{\cancel{6}_{1}}\times\frac{\cancel{36}^{6}}{\cancel{7}_{1}}=42\,(m^2)$

(꽃을 심지 않은 부분의 넓이)$=6\frac{2}{5}\times2\frac{3}{4}=\frac{\cancel{32}^{8}}{5}\times\frac{11}{\cancel{4}_{1}}=\frac{88}{5}=17\frac{3}{5}\,(m^2)$

➔ (꽃을 심은 부분의 넓이)
=(화단의 넓이)−(꽃을 심지 않은 부분의 넓이)
$=42-17\frac{3}{5}=41\frac{5}{5}-17\frac{3}{5}=24\frac{2}{5}\,(m^2)$

평가 영역 □개념 이해력 ☑개념 응용력 □창의력 □문제 해결력

2 그림과 같은 모양의 화단이 있습니다. 화단의 넓이는 몇 m^2인지 구해 보세요.

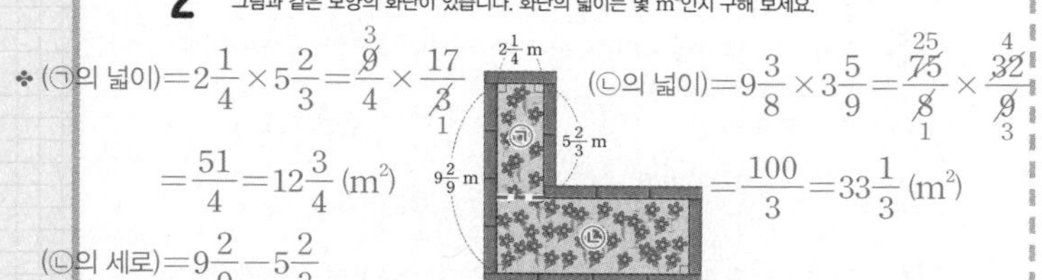

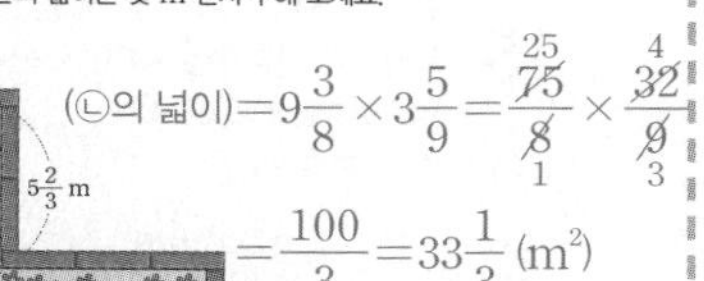

($46\frac{1}{12}$ m^2)

✤ (㉠의 넓이)$=2\frac{1}{4}\times5\frac{2}{3}=\frac{\cancel{9}^{3}}{4}\times\frac{17}{\cancel{3}_{1}}=\frac{51}{4}=12\frac{3}{4}\,(m^2)$

(㉡의 세로)$=9\frac{2}{9}-5\frac{2}{3}=8\frac{11}{9}-5\frac{6}{9}=3\frac{5}{9}\,(m)$

(㉡의 넓이)$=9\frac{3}{8}\times3\frac{5}{9}=\frac{\cancel{75}^{25}}{\cancel{8}_{1}}\times\frac{\cancel{32}^{4}}{\cancel{9}_{3}}=\frac{100}{3}=33\frac{1}{3}\,(m^2)$

➔ (화단의 넓이)=(㉠의 넓이)+(㉡의 넓이)
$=12\frac{3}{4}+33\frac{1}{3}=12\frac{9}{12}+33\frac{4}{12}=45\frac{13}{12}=46\frac{1}{12}\,(m^2)$

✤ (집~우체국)$=2\frac{1}{7}+5\frac{1}{4}=2\frac{4}{28}+5\frac{7}{28}=7\frac{11}{28}\,(km)$

(집~서점)$=7\frac{11}{28}\times\frac{2}{3}=\frac{\cancel{207}^{69}}{\cancel{28}_{14}}\times\frac{\cancel{2}^{1}}{\cancel{3}_{1}}=\frac{69}{14}=4\frac{13}{14}\,(km)$

정답과 풀이 p.23

평가 영역 □개념 이해력 □개념 응용력 □창의력 ☑문제 해결력

3 현서네 집에서 마트까지의 거리는 $2\frac{1}{7}$ km이고 마트에서 우체국까지의 거리는 $5\frac{1}{4}$ km입니다. 서점은 현서네 집에서부터 우체국까지의 거리의 $\frac{2}{3}$인 지점에 있다고 합니다. 서점에서 우체국까지의 거리는 몇 km인지 구해 보세요.

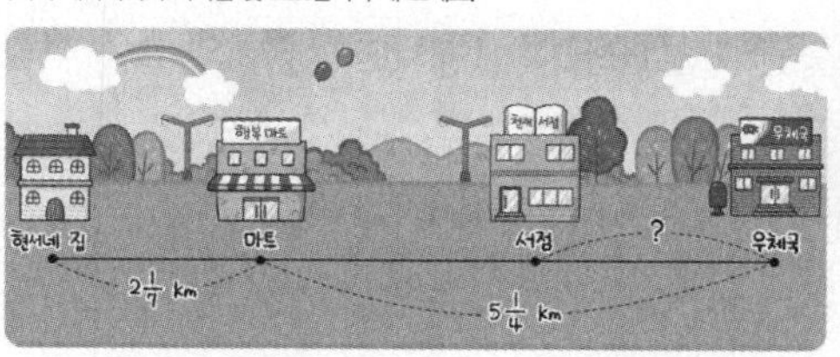

너희 집에서 서점까지의 거리는 얼마나 돼?
준기

($2\frac{13}{28}$ km)

➔ (서점~우체국)=(집~우체국)−(집~서점)
$=7\frac{11}{28}-4\frac{13}{14}=7\frac{11}{28}-4\frac{26}{28}=6\frac{39}{28}-4\frac{26}{28}=2\frac{13}{28}\,(km)$

평가 영역 □개념 이해력 □개념 응용력 □창의력 ☑문제 해결력

4 하루에 $3\frac{1}{3}$분씩 빨라지는 시계가 있습니다. 이 시계를 오늘 오전 9시에 정확히 맞추어 놓았다면 일주일 후 오전 9시에 이 시계가 가리키는 시각은 오전 몇 시 몇 분 몇 초일까요?

(오전 9시 23분 20초)

✤ (일주일 동안 빨라진 시간)
$=3\frac{1}{3}\times7=\frac{10}{3}\times7=\frac{70}{3}=23\frac{1}{3}$(분)

$23\frac{1}{3}$분$=23\frac{20}{60}$분=23분 20초이므로 일주일 후 오전 9시에 이 시계가 가리키는 시각은 오전 9시+23분 20초=오전 9시 23분 20초입니다.

Test 종합평가

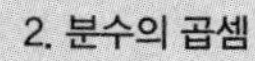

정답과 풀이 p.23

1 그림을 보고 □ 안에 알맞은 수를 써넣으세요.

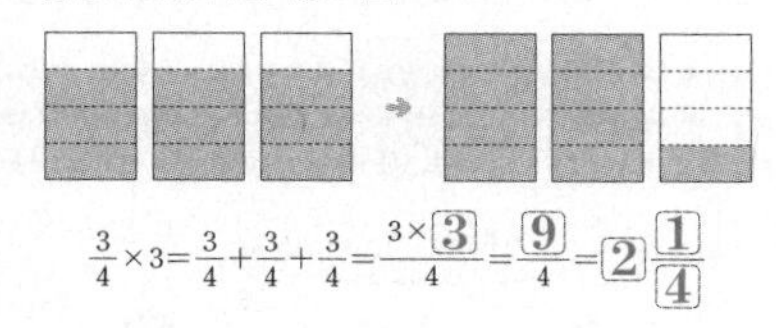

$\frac{3}{4}\times3=\frac{3}{4}+\frac{3}{4}+\frac{3}{4}=\frac{3\times\boxed{3}}{4}=\frac{\boxed{9}}{4}=\boxed{2}\frac{\boxed{1}}{\boxed{4}}$

2 보기 와 같이 계산해 보세요.

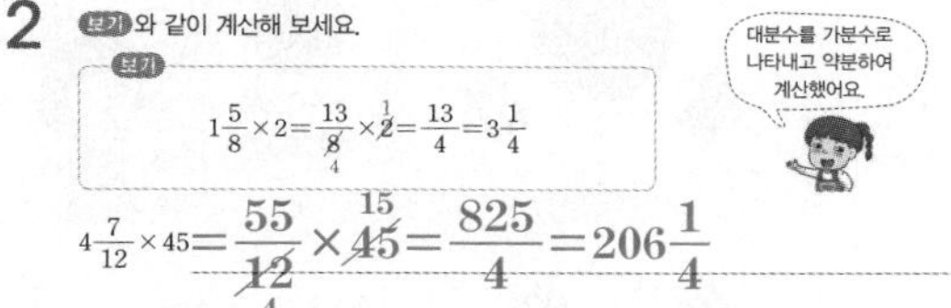

$4\frac{7}{12}\times45=\frac{55}{\cancel{12}_{4}}\times\cancel{45}^{15}=\frac{825}{4}=206\frac{1}{4}$

✤ 대분수를 가분수로 나타낸 다음 약분하여 계산합니다.

3 빈 곳에 알맞은 분수를 써넣으세요.

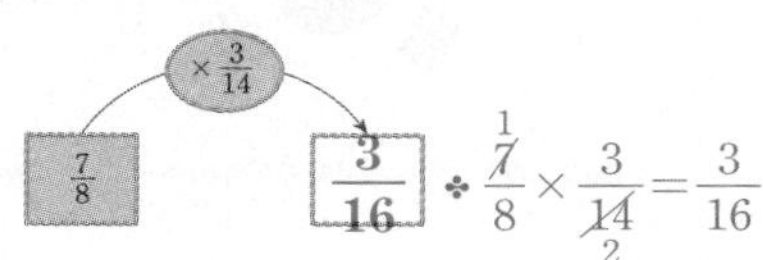

✤ $\frac{\cancel{7}^{1}}{8}\times\frac{3}{\cancel{14}_{2}}=\frac{3}{16}$

4 세 분수의 곱을 구해 보세요.

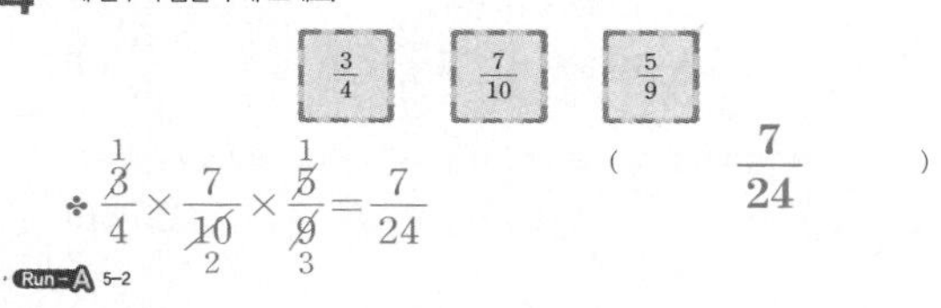

($\frac{7}{24}$)

✤ $\frac{\cancel{3}^{1}}{4}\times\frac{7}{\cancel{10}_{2}}\times\frac{\cancel{5}^{1}}{\cancel{9}_{3}}=\frac{7}{24}$

5 계산 결과가 5보다 큰 식에 ○표, 5보다 작은 식에 △표 하세요.

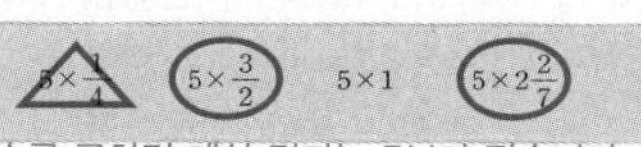

✤ 5에 진분수를 곱하면 계산 결과는 5보다 작습니다.
5에 1을 곱하면 계산 결과는 그대로 5입니다.
5에 대분수나 가분수를 곱하면 계산 결과는 5보다 큽니다.

6 두 곱의 차는 얼마인지 구해 보세요.

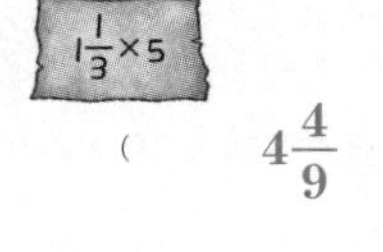

($4\frac{4}{9}$)

✤ $4\times\frac{5}{9}=\frac{20}{9}=2\frac{2}{9}$, $1\frac{1}{3}\times5=\frac{4}{3}\times5=\frac{20}{3}=6\frac{2}{3}$

➔ $6\frac{2}{3}-2\frac{2}{9}=6\frac{6}{9}-2\frac{2}{9}=4\frac{4}{9}$

7 한 변의 길이가 $3\frac{5}{8}$ cm인 정육각형의 둘레는 몇 cm인지 구해 보세요.

$3\frac{5}{8}$ cm

($21\frac{3}{4}$ cm)

✤ 정육각형은 여섯 변의 길이가 모두 같습니다.
(정육각형의 둘레)=(한 변의 길이)×(변의 수)
$=3\frac{5}{8}\times6=\frac{29}{\cancel{8}_{4}}\times\cancel{6}^{3}=\frac{87}{4}=21\frac{3}{4}\,(cm)$

8 직사각형의 넓이는 몇 m^2인지 구해 보세요.

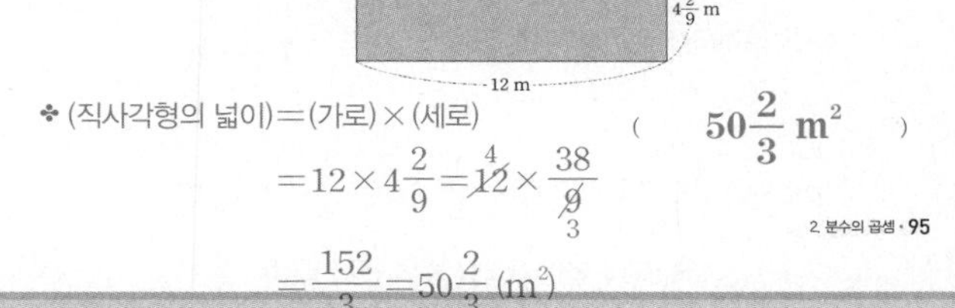

($50\frac{2}{3}$ m^2)

✤ (직사각형의 넓이)=(가로)×(세로)
$=12\times4\frac{2}{9}=\cancel{12}^{4}\times\frac{38}{\cancel{9}_{3}}=\frac{152}{3}=50\frac{2}{3}\,(m^2)$

96쪽 ~ 97쪽

9 계산 결과가 큰 것부터 차례로 기호를 써 보세요.

㉠ $\frac{1}{3}\times\frac{1}{9}$ ㉡ $\frac{1}{2}\times\frac{1}{11}$ ㉢ $\frac{1}{8}\times\frac{1}{6}$ ㉣ $\frac{1}{4}\times\frac{1}{4}$

(㉣, ㉡, ㉠, ㉢)

✤ 단위분수는 분모가 작을수록 큰 분수입니다.

㉠ $\frac{1}{27}$ ㉡ $\frac{1}{22}$ ㉢ $\frac{1}{48}$ ㉣ $\frac{1}{16}$ ➜ ㉣ $\frac{1}{16}>$ ㉡ $\frac{1}{22}>$ ㉠ $\frac{1}{27}>$ ㉢ $\frac{1}{48}$

10 □ 안에 들어갈 수 있는 자연수를 모두 구해 보세요.

$\frac{1}{4}\times\frac{1}{\square}>\frac{1}{20}$

(1, 2, 3, 4)

✤ $\frac{1}{4}\times\frac{1}{\square}=\frac{1}{4\times\square}$이므로 $\frac{1}{4\times\square}>\frac{1}{20}$에서 $4\times\square<20$입니다.

따라서 □ 안에 들어갈 수 있는 자연수는 1, 2, 3, 4입니다.

11 계산 결과를 비교하여 ○ 안에 >, =, <를 알맞게 써넣으세요.

$4\frac{1}{11}\times1\frac{8}{15}$ ⧀ $2\frac{3}{5}\times2\frac{3}{4}$

✤ $4\frac{1}{11}\times1\frac{8}{15}=\frac{\overset{3}{\cancel{45}}}{11}\times\frac{23}{\underset{1}{\cancel{15}}}=\frac{69}{11}=6\frac{3}{11}$, $2\frac{3}{5}\times2\frac{3}{4}=\frac{13}{5}\times\frac{11}{4}=\frac{143}{20}=7\frac{3}{20}$

12 □ 안에 들어갈 수 있는 가장 큰 자연수를 구해 보세요.

$8\frac{1}{2}\times\frac{4}{5}>\square$

(6)

✤ $8\frac{1}{2}\times\frac{4}{5}=\frac{17}{\underset{1}{\cancel{2}}}\times\frac{\overset{2}{\cancel{4}}}{5}=\frac{34}{5}=6\frac{4}{5}$이므로 $6\frac{4}{5}>\square$입니다.

따라서 □ 안에 들어갈 수 있는 자연수는 1, 2, 3, 4, 5, 6이고 이 중에서 가장 큰 수는 6입니다.

13 다음 그림은 초콜릿을 똑같이 10조각으로 나눈 것 중에서 먹고 남은 양을 나타낸 것입니다. 남은 초콜릿의 길이는 몇 cm인지 구해 보세요.

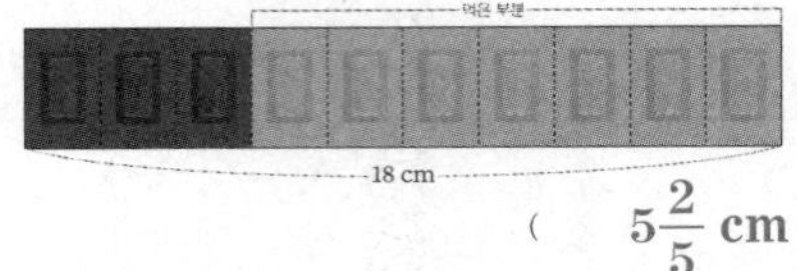

($5\frac{2}{5}$ cm)

✤ 먹고 남은 양은 전체를 똑같이 10조각으로 나눈 것 중의 3조각이므로 남은 초콜릿의 길이는 전체 초콜릿의 길이의 $\frac{3}{10}$입니다.

➜ (남은 초콜릿의 길이) $=\overset{9}{\cancel{18}}\times\frac{3}{\underset{5}{\cancel{10}}}=\frac{27}{5}=5\frac{2}{5}$ (cm)

14 3장의 수 카드를 각각 한 번씩만 사용하여 만들 수 있는 가장 큰 대분수와 가장 작은 대분수의 곱은 얼마인지 구해 보세요.

1 5 6

($11\frac{11}{30}$)

✤ 가장 큰 대분수: $6\frac{1}{5}$, 가장 작은 대분수: $1\frac{5}{6}$

➜ $6\frac{1}{5}\times1\frac{5}{6}=\frac{31}{5}\times\frac{11}{6}=\frac{341}{30}=11\frac{11}{30}$

15 호준이의 몸무게는 $48\frac{1}{8}$ kg이고 아버지의 몸무게는 호준이 몸무게의 $1\frac{2}{5}$배입니다. 아버지의 몸무게는 몇 kg일까요?

($67\frac{3}{8}$ kg)

✤ (아버지의 몸무게)

$=48\frac{1}{8}\times1\frac{2}{5}=\frac{\overset{77}{\cancel{385}}}{8}\times\frac{7}{\underset{1}{\cancel{5}}}=\frac{539}{8}=67\frac{3}{8}$ (kg)

16 어떤 수에 $2\frac{2}{3}$를 곱해야 할 것을 잘못하여 뺐더니 $1\frac{5}{6}$가 되었습니다. 바르게 계산하면 얼마인지 구해 보세요.

(12)

✤ 어떤 수를 □라 하면 $\square-2\frac{2}{3}=1\frac{5}{6}$,

$\square=1\frac{5}{6}+2\frac{2}{3}=1\frac{5}{6}+2\frac{4}{6}=3\frac{9}{6}=4\frac{3}{6}=4\frac{1}{2}$입니다.

따라서 바르게 계산하면 $4\frac{1}{2}\times2\frac{2}{3}=\frac{\overset{3}{\cancel{9}}}{\underset{1}{\cancel{2}}}\times\frac{\overset{4}{\cancel{8}}}{\underset{1}{\cancel{3}}}=12$입니다.

98쪽 ~ 99쪽

Test 종합평가 2. 분수의 곱셈 정답과 풀이 p.24

17 떨어진 높이의 $\frac{2}{3}$만큼 다시 튀어 오르는 공을 6 m 높이에서 떨어뜨렸습니다. 이 공이 땅에 두 번 닿았다가 튀어 올랐을 때의 높이는 몇 m인지 구해 보세요.

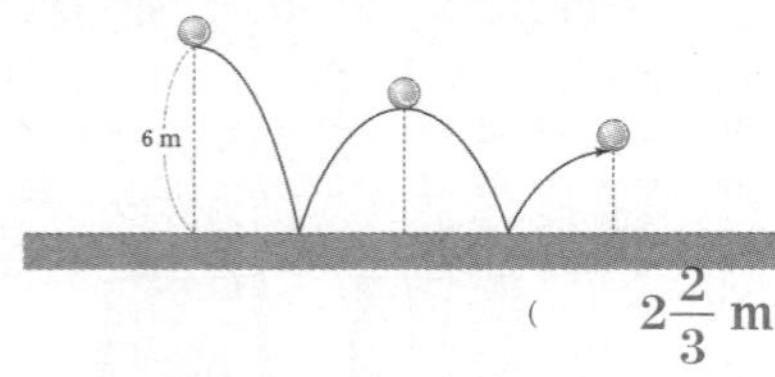

($2\frac{2}{3}$ m)

✤ (공이 땅에 한 번 닿았다가 튀어 올랐을 때의 높이) $=\overset{2}{\cancel{6}}\times\frac{2}{\underset{1}{\cancel{3}}}=4$ (m)

(공이 땅에 두 번 닿았다가 튀어 올랐을 때의 높이) $=4\times\frac{2}{3}=\frac{8}{3}=2\frac{2}{3}$ (m)

18 경훈이는 한 시간에 $4\frac{2}{5}$ km를 걷습니다. 같은 빠르기로 1시간 20분 동안 걷는다면 경훈이가 걸은 거리는 몇 km인지 구해 보세요.

($5\frac{13}{15}$ km)

✤ 1시간 20분 $=1\frac{20}{60}$시간 $=1\frac{1}{3}$시간

(1시간 20분 동안 걸은 거리) $=4\frac{2}{5}\times1\frac{1}{3}=\frac{22}{5}\times\frac{4}{3}=\frac{88}{15}=5\frac{13}{15}$ (km)

19 그림과 같이 길이가 $\frac{6}{7}$ m인 색 테이프 10장을 $\frac{1}{6}$ m씩 겹쳐지게 이어 붙였습니다. 이어 붙인 색 테이프의 전체 길이는 몇 m인지 구해 보세요.

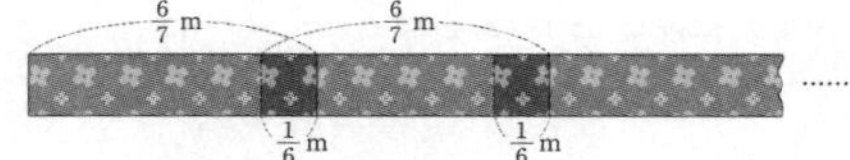

($7\frac{1}{14}$ m)

✤ (색 테이프 10장의 길이의 합)

$=\frac{6}{7}\times10=\frac{60}{7}=8\frac{4}{7}$ (m)

(겹쳐진 부분의 길이의 합) $=\frac{1}{\underset{2}{\cancel{6}}}\times\overset{3}{\cancel{9}}=\frac{3}{2}=1\frac{1}{2}$ (m)

➜ (이어 붙인 색 테이프의 전체 길이)

=(색 테이프 10장의 길이의 합)−(겹쳐진 부분의 길이의 합)

$=8\frac{4}{7}-1\frac{1}{2}=8\frac{8}{14}-1\frac{7}{14}=7\frac{1}{14}$ (m)

특강 창의·융합 사고력 정답과 풀이 p.24

1 지호는 가로가 60 cm인 태극기를 그렸습니다. 태극기의 각 부분의 길이를 구해 보세요.

태극기에서 흰색 바탕은 밝음, 순수, 평화를 사랑하는 우리의 민족성을 상징하고, 태극 문양은 국민을 나타내며 음(파랑)과 양(빨강)의 조화를 상징합니다. 또한 네 귀퉁이의 4괘에서 건은 동쪽·하늘·봄을, 리는 남쪽·태양·가을을, 감은 북쪽·달·겨울을, 곤은 서쪽·땅·여름을 상징합니다.

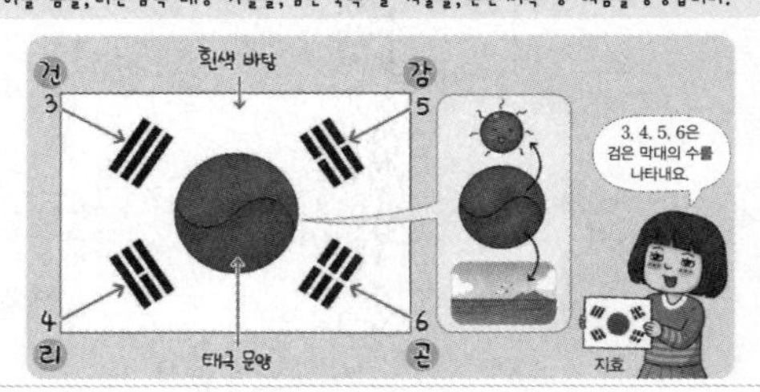

㉠: 세로의 $\frac{1}{4}$입니다.

㉡: ㉠의 길이의 $\frac{1}{6}$입니다.

㉢: ㉡의 길이의 $\frac{1}{2}$입니다.

(1) 태극기의 세로는 가로의 $\frac{2}{3}$입니다. 태극기의 세로는 몇 cm일까요?

(40 cm)

✤ (태극기의 세로) = (태극기의 가로) $\times\frac{2}{3}=\overset{20}{\cancel{60}}\times\frac{2}{\underset{1}{\cancel{3}}}=40$ (cm)

(2) ㉠, ㉡, ㉢의 길이는 각각 몇 cm일까요?

㉠ (10 cm), ㉡ ($1\frac{2}{3}$ cm), ㉢ ($\frac{5}{6}$ cm)

✤ ㉠: $\overset{10}{\cancel{40}}\times\frac{1}{\underset{1}{\cancel{4}}}=10$ (cm), ㉡: $\overset{5}{\cancel{10}}\times\frac{1}{\underset{3}{\cancel{6}}}=\frac{5}{3}=1\frac{2}{3}$ (cm),

㉢: $1\frac{2}{3}\times\frac{1}{2}=\frac{5}{3}\times\frac{1}{2}=\frac{5}{6}$ (cm)

(3) 태극원의 지름은 ㉢의 길이의 24배입니다. 태극원의 지름은 몇 cm일까요?

(20 cm)

✤ ㉢ $\times24=\frac{5}{\underset{1}{\cancel{6}}}\times\overset{4}{\cancel{24}}=20$ (cm)

천재교육

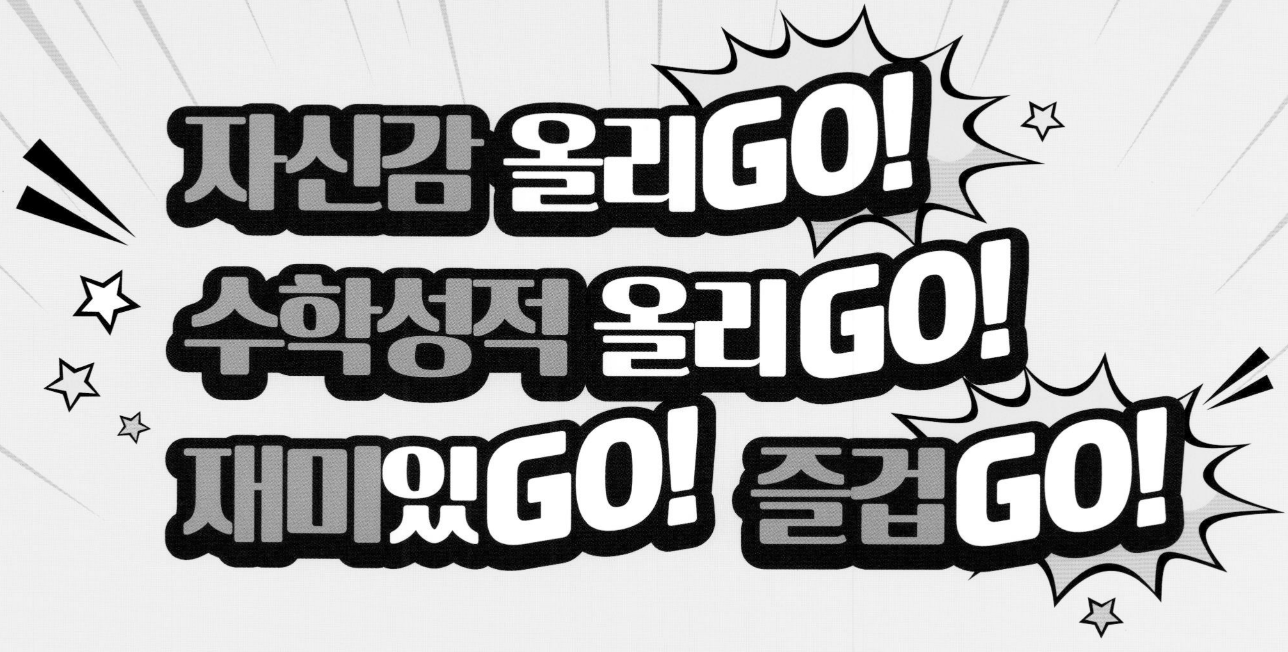

우리는 〈교과서+사고력〉으로 수학을 신나게 공부해요!

Go! 매쓰

수학 5-2

정답과 풀이

교과서 사고력

교과서 개념